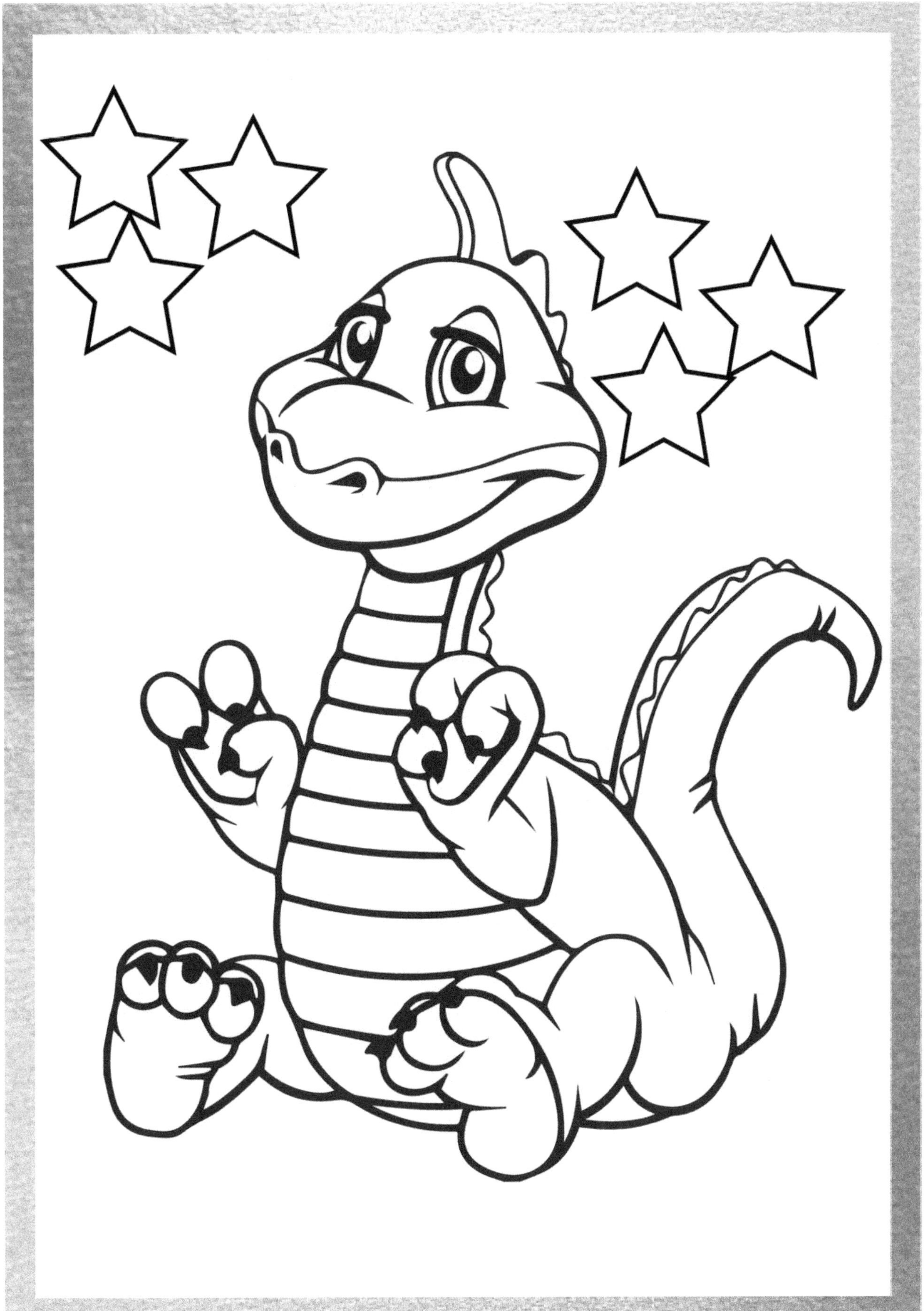

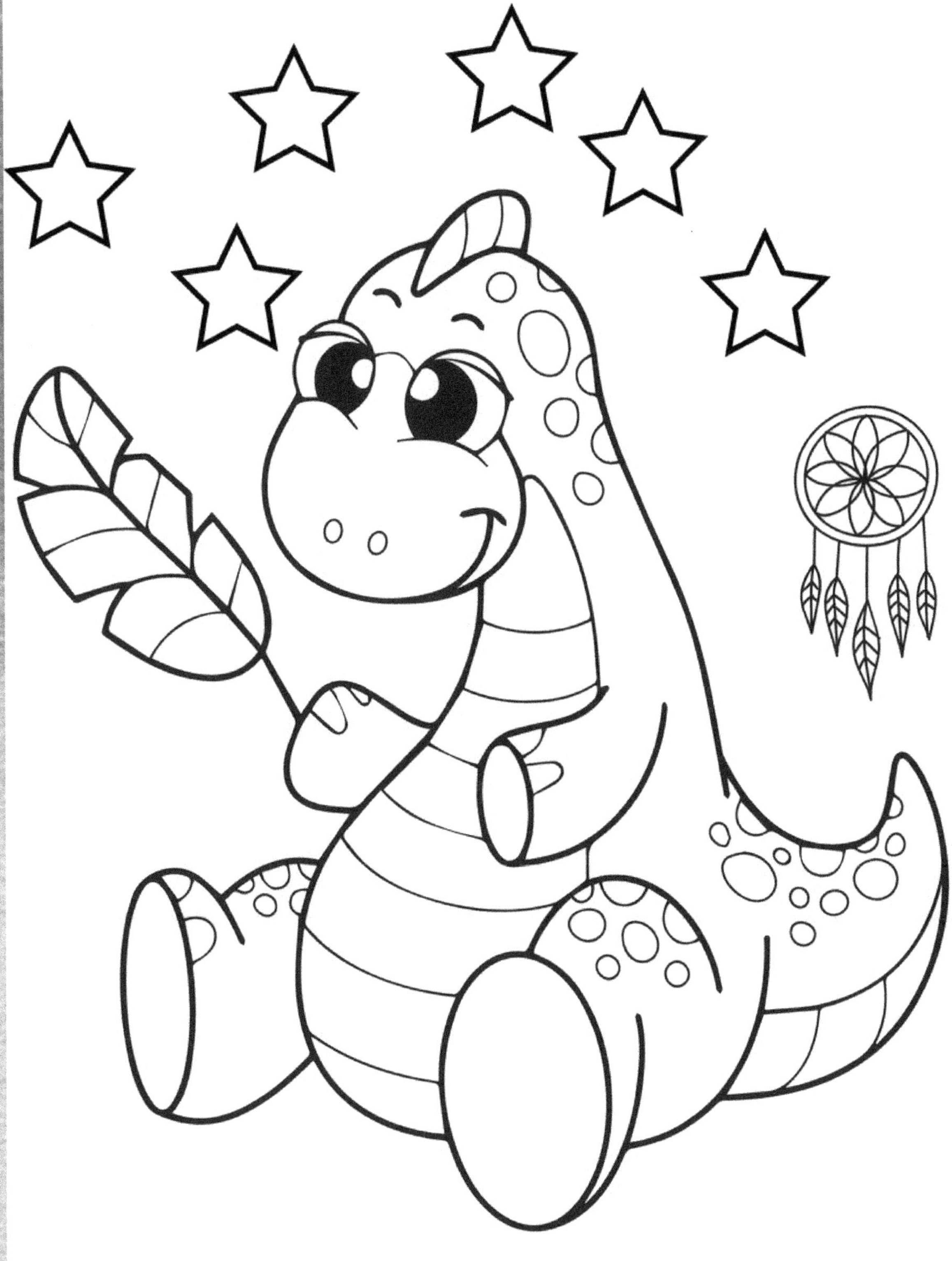

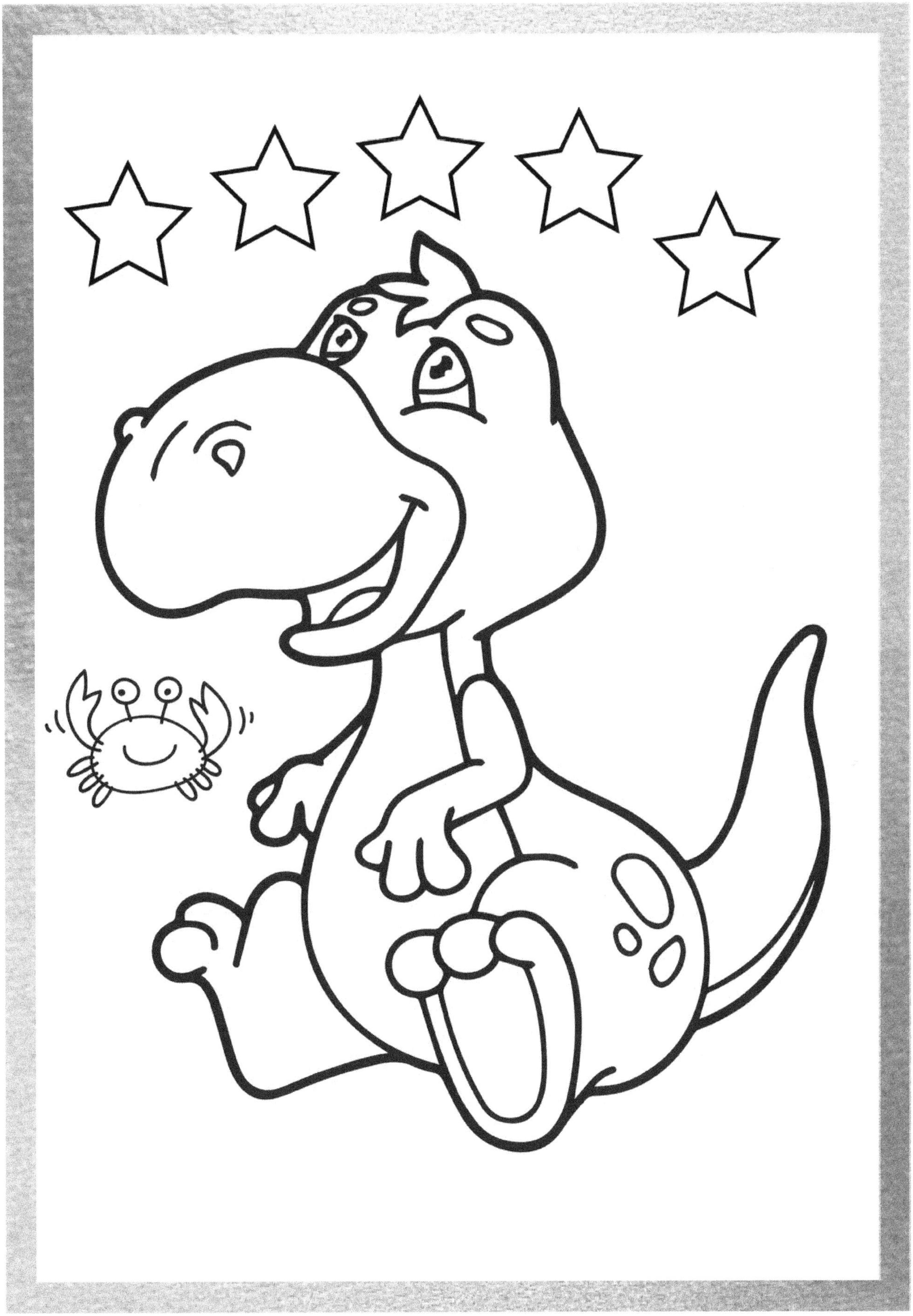

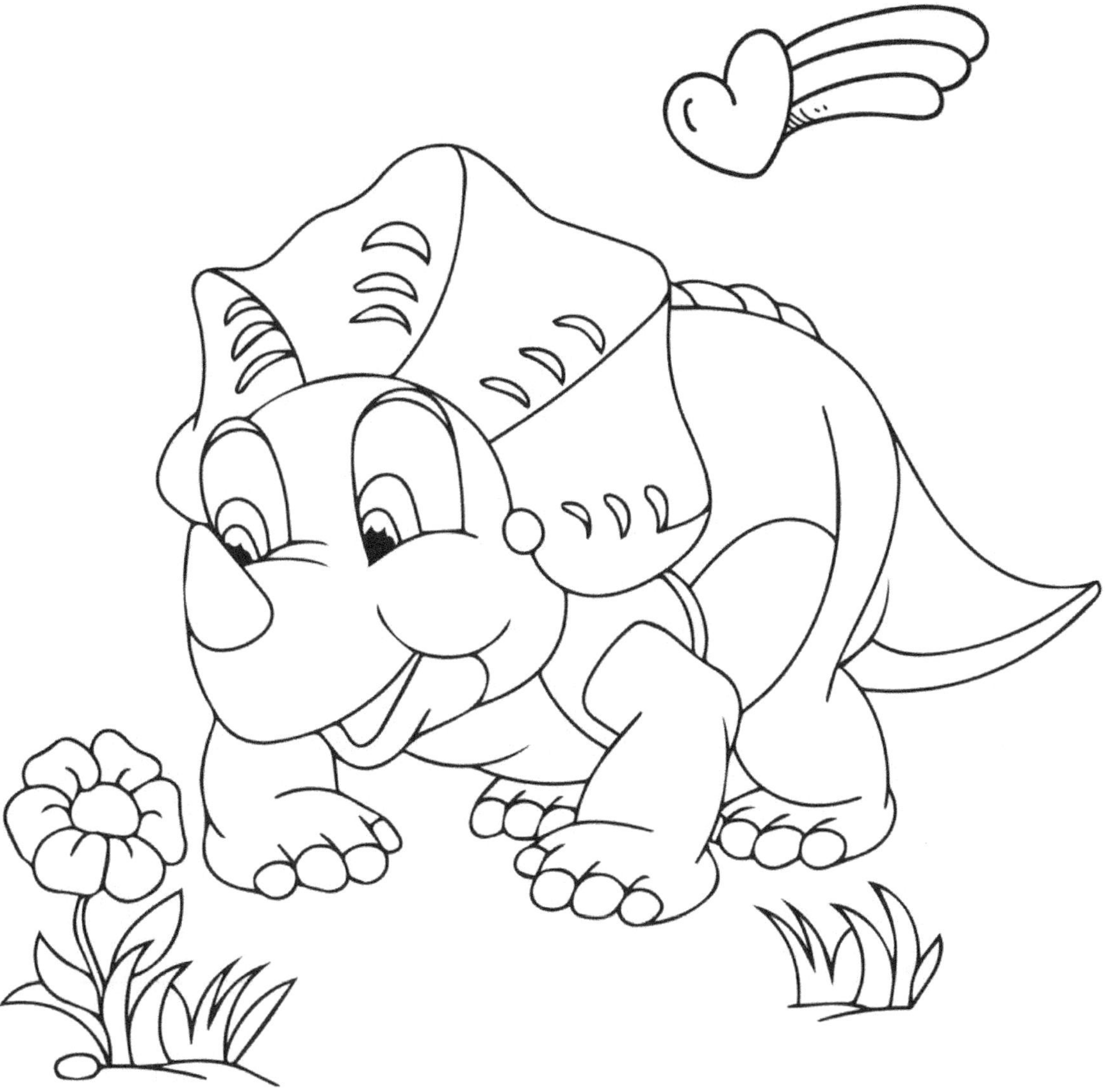

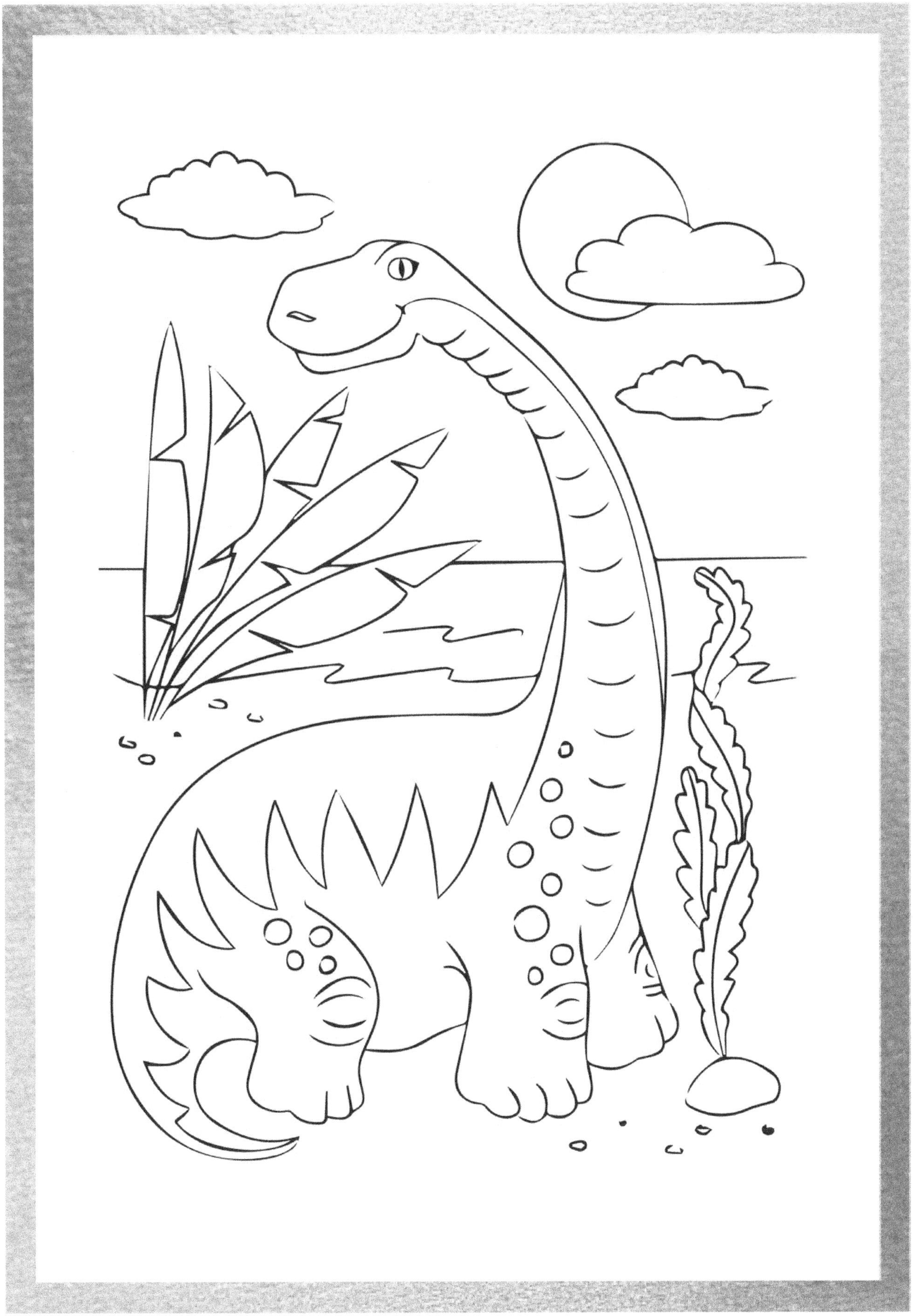

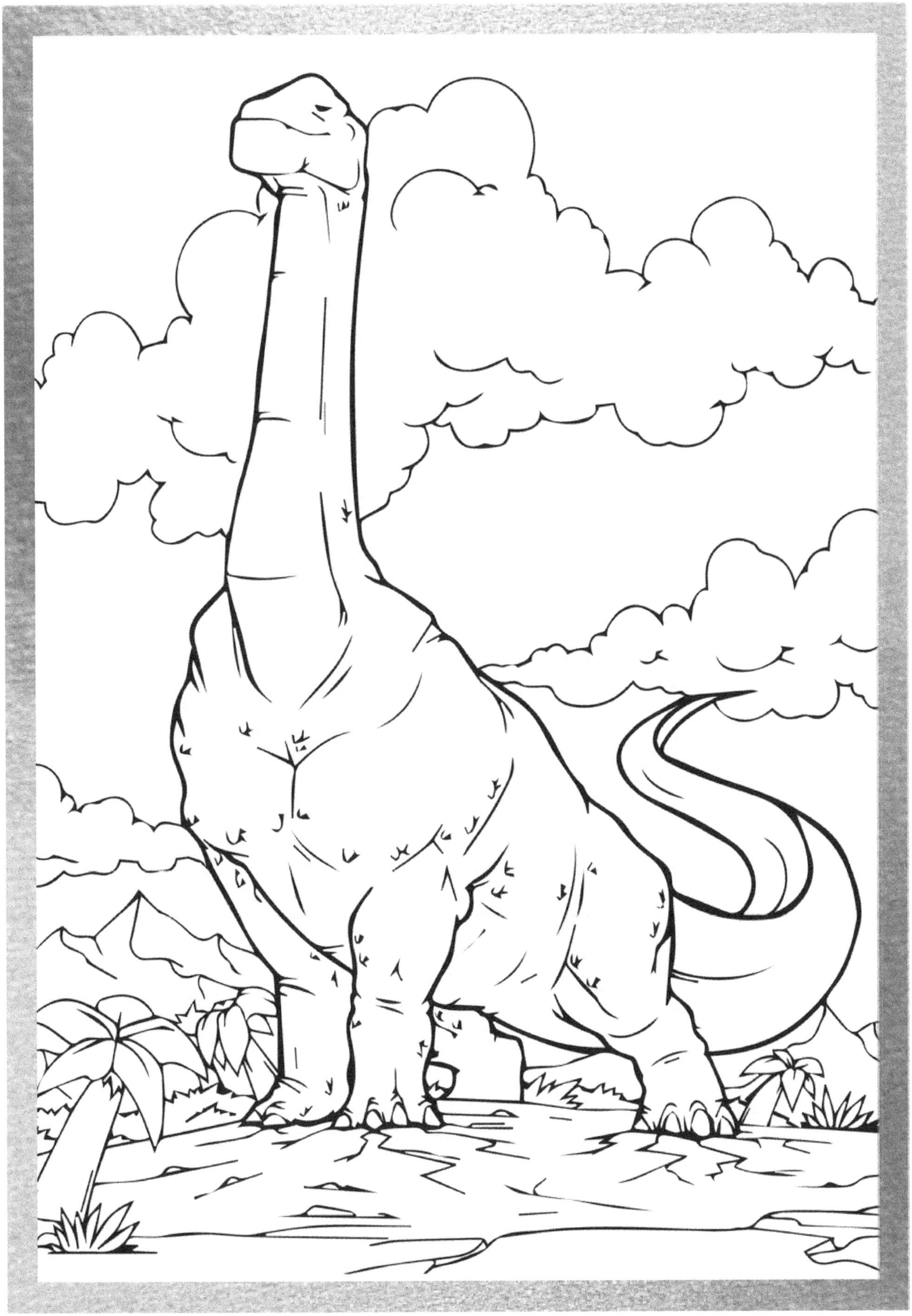

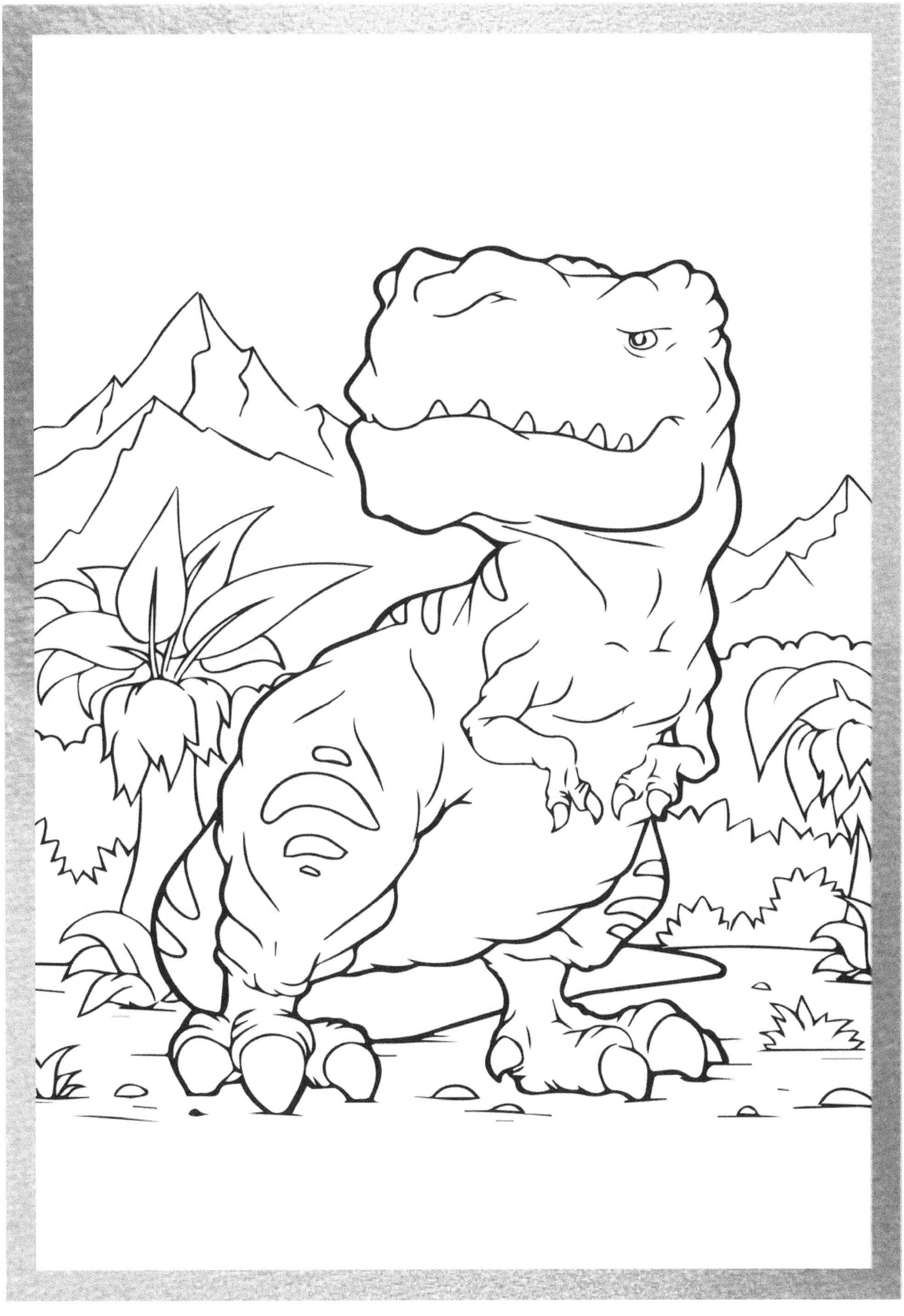

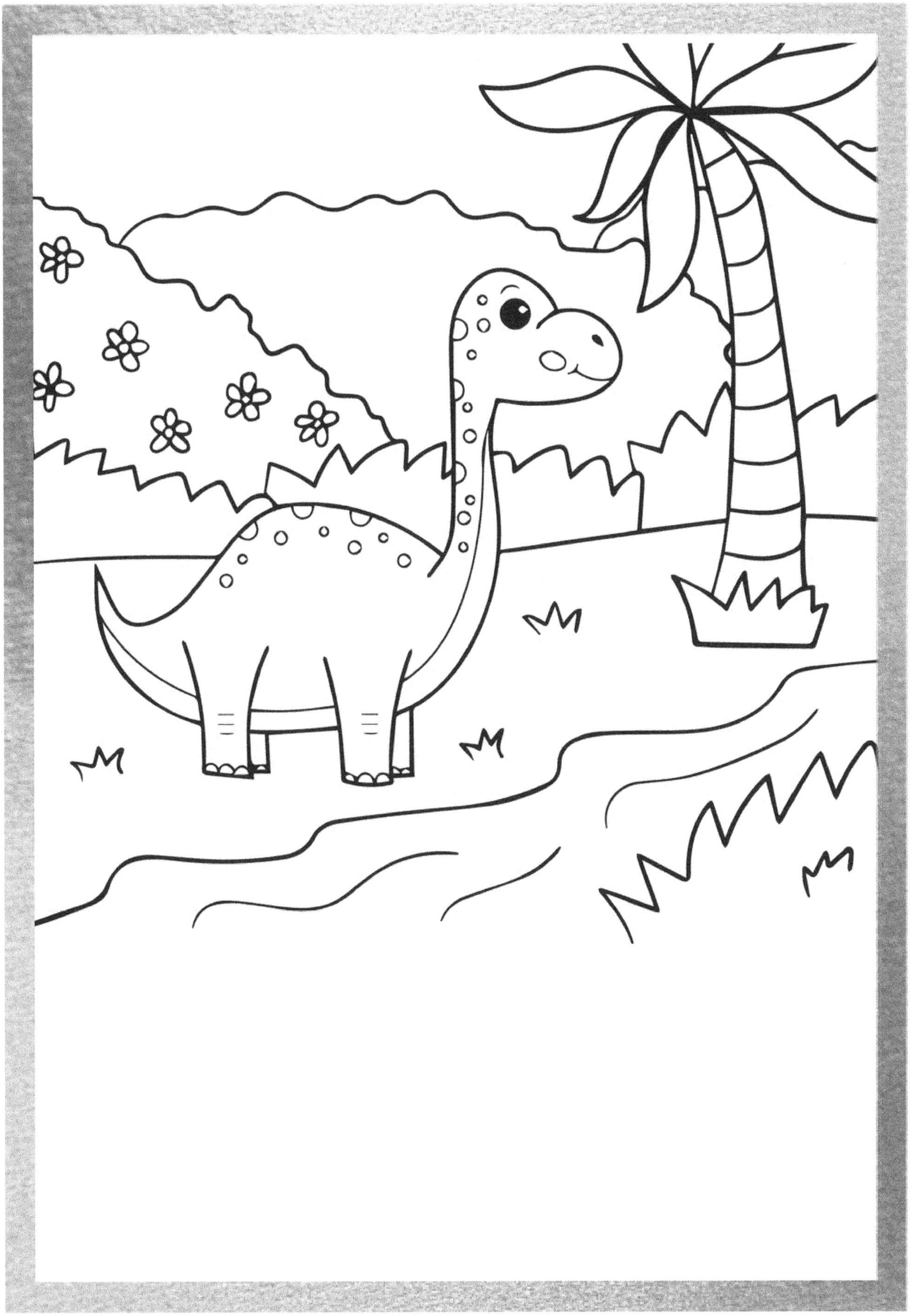

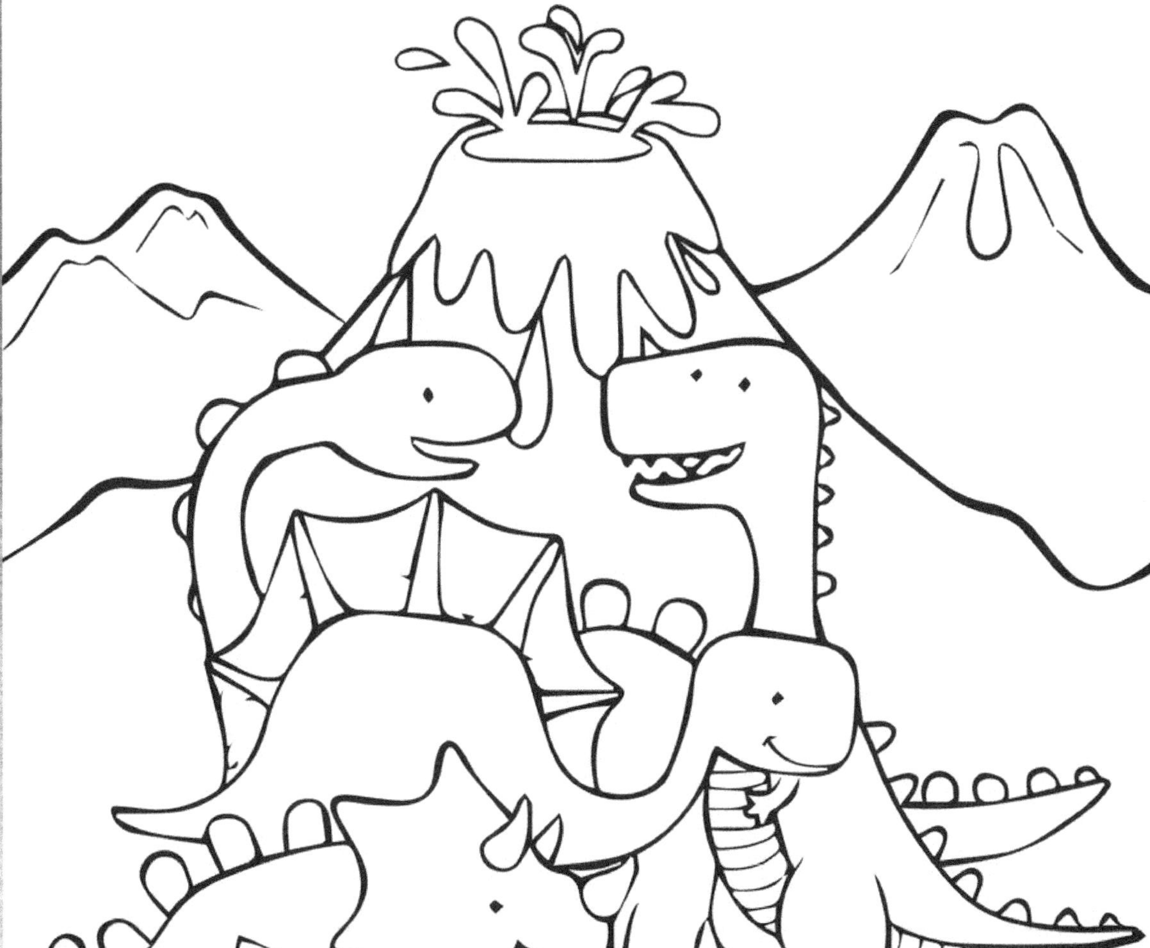

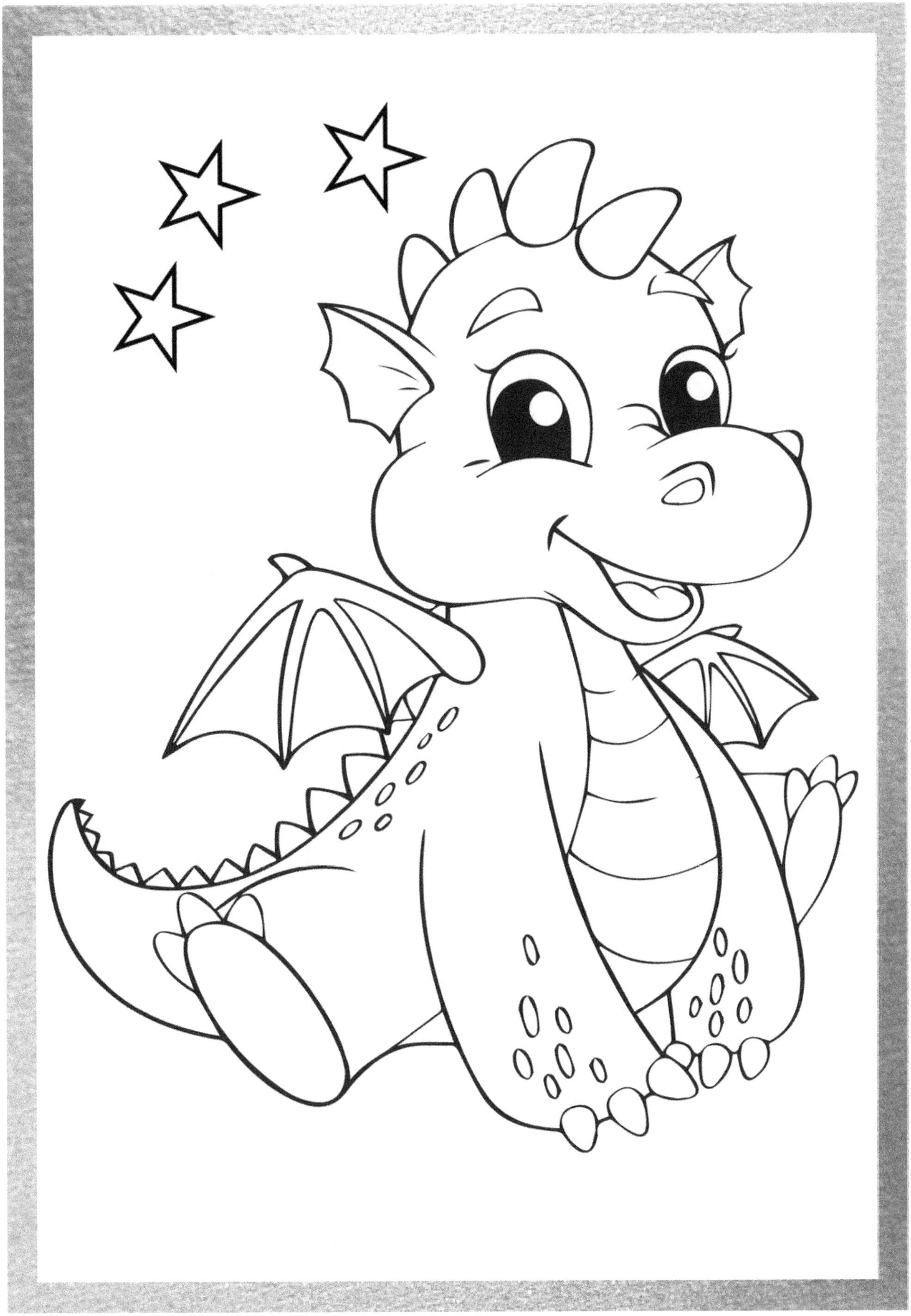

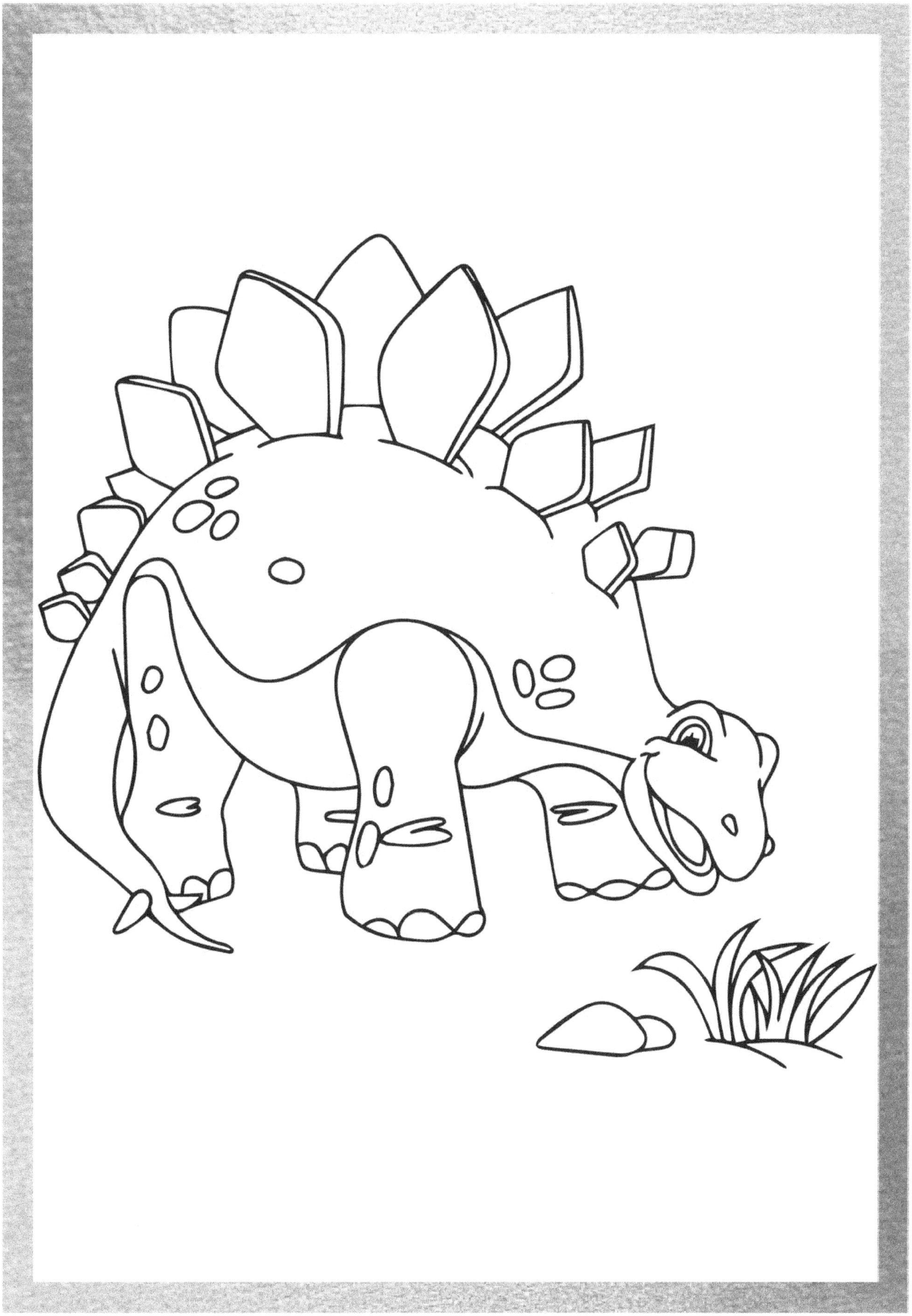

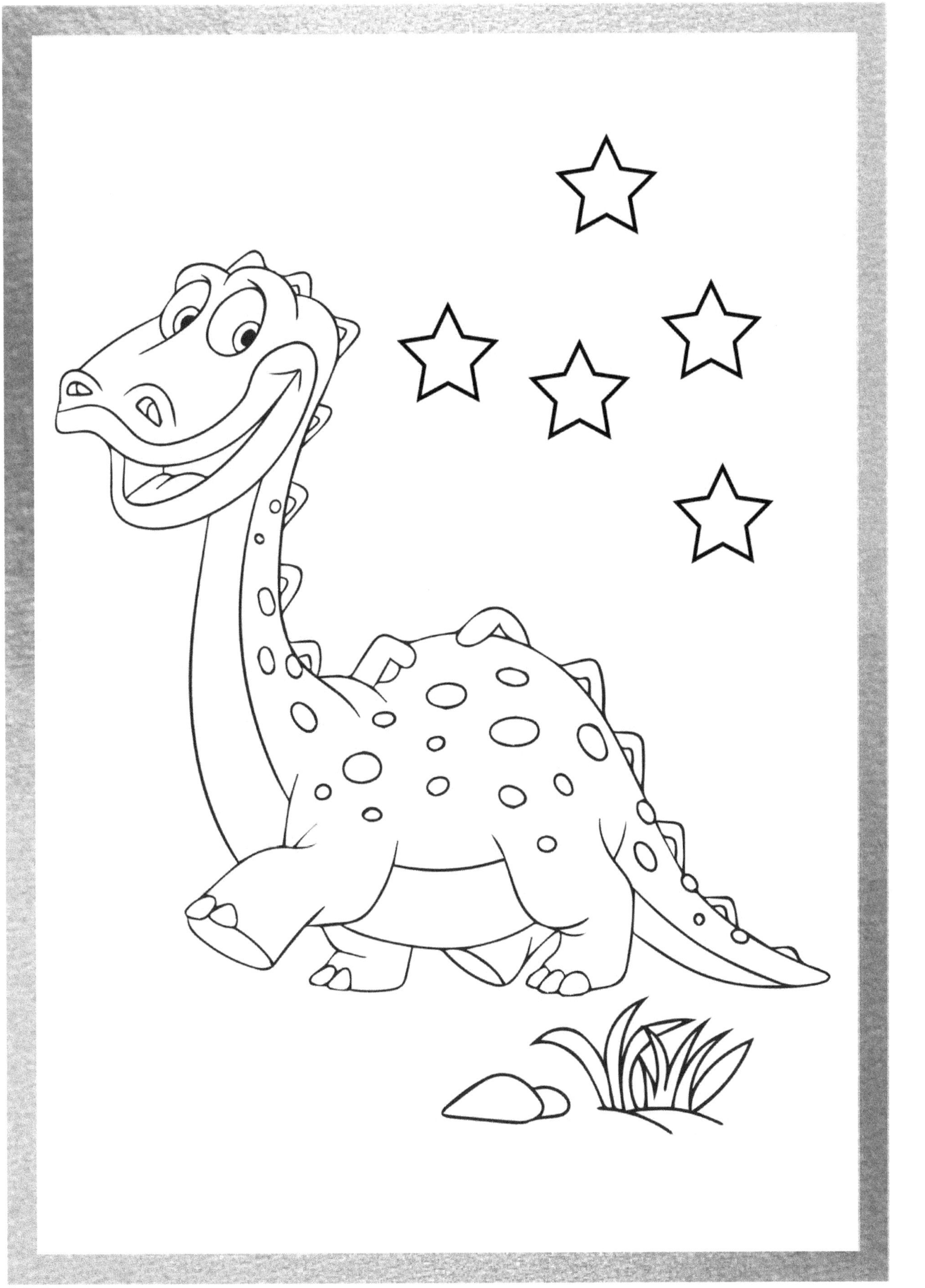

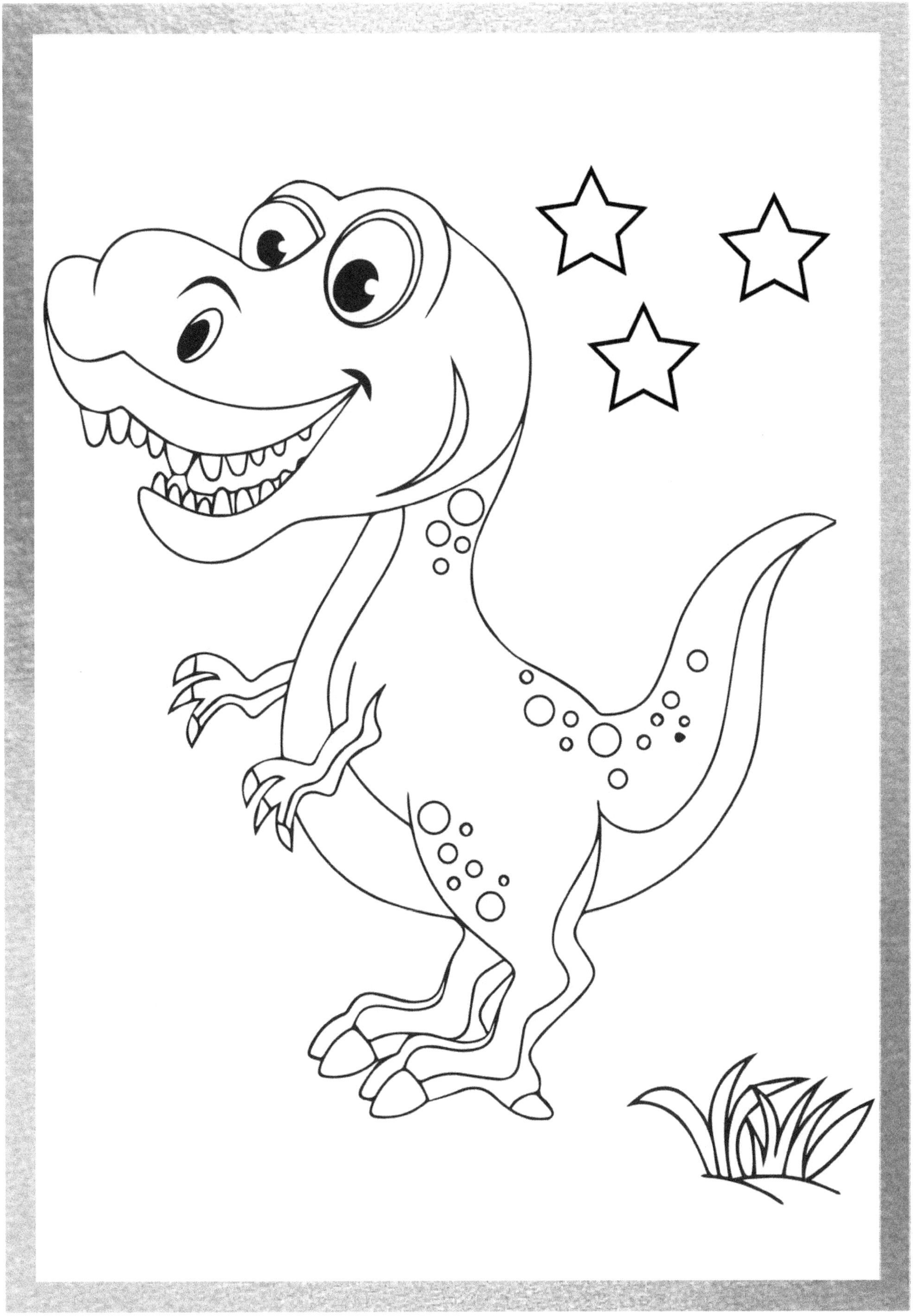

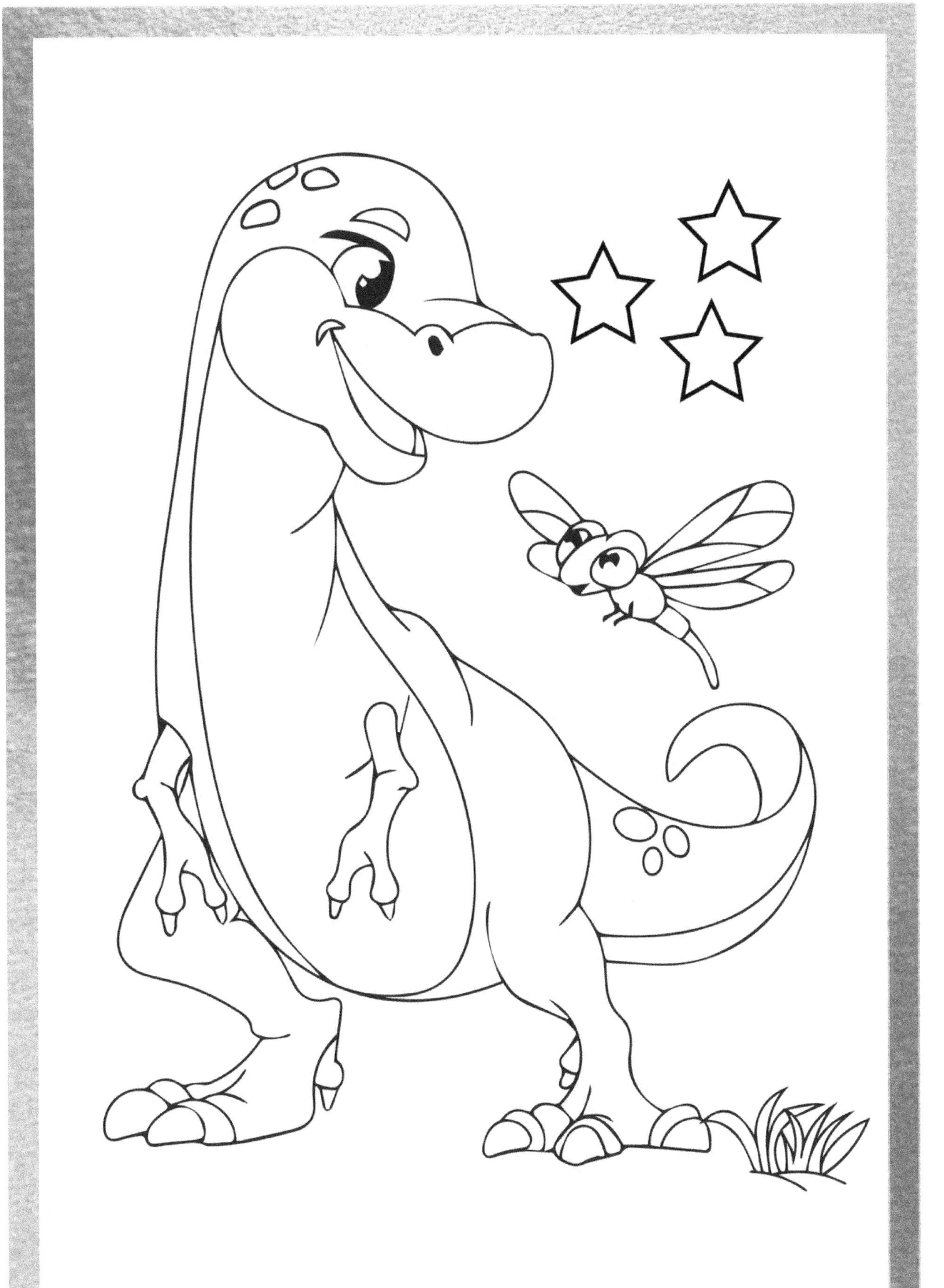

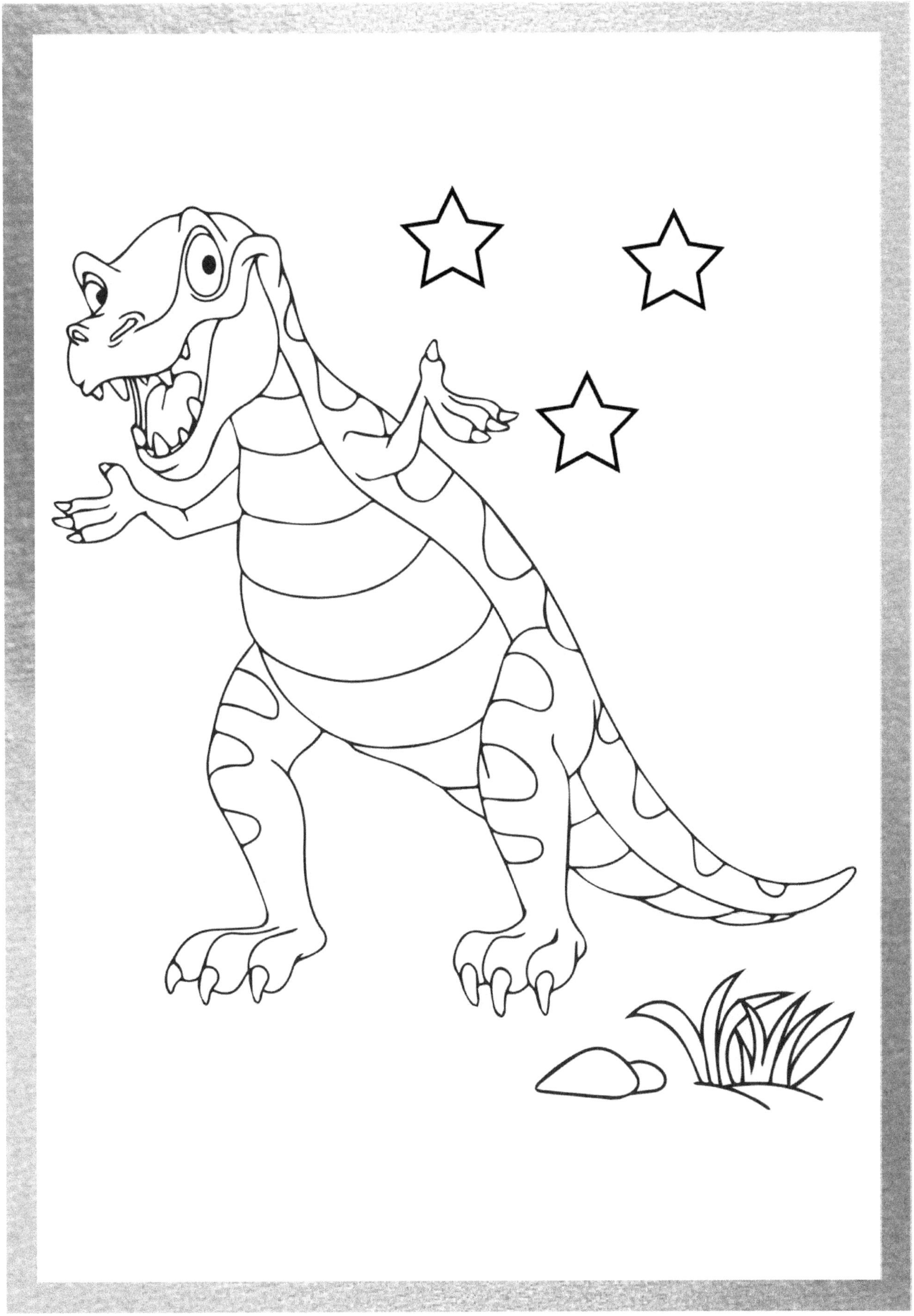

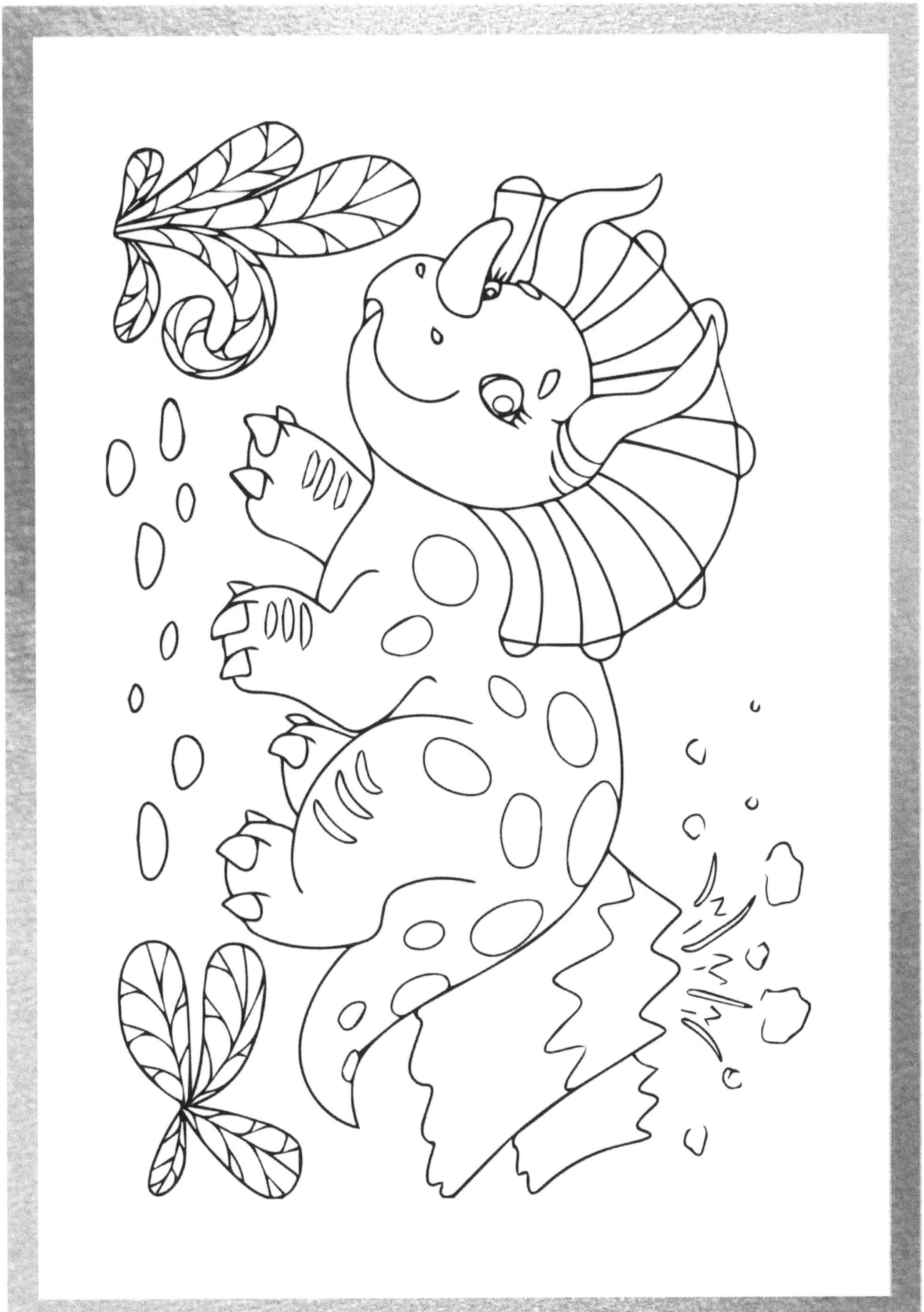

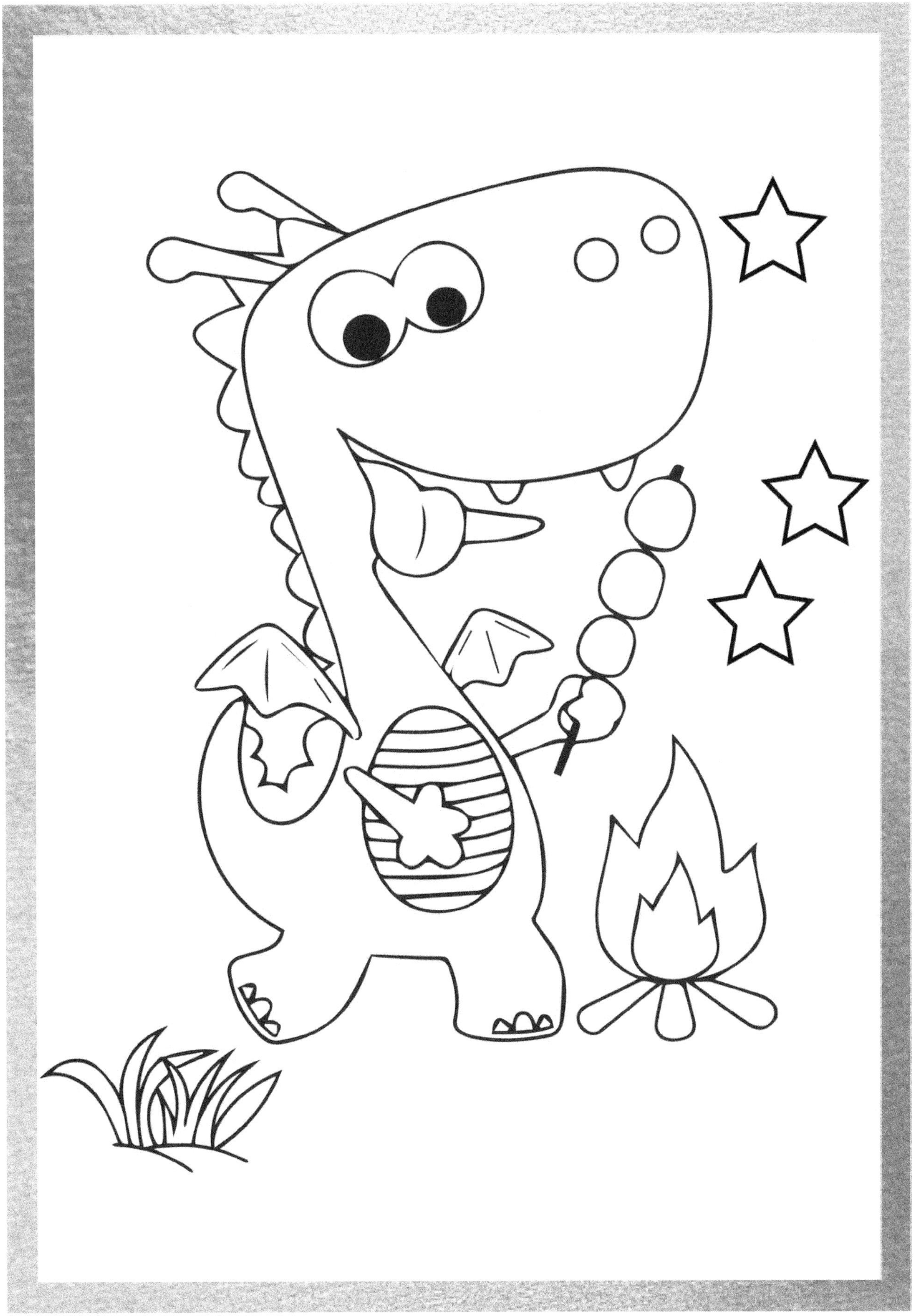

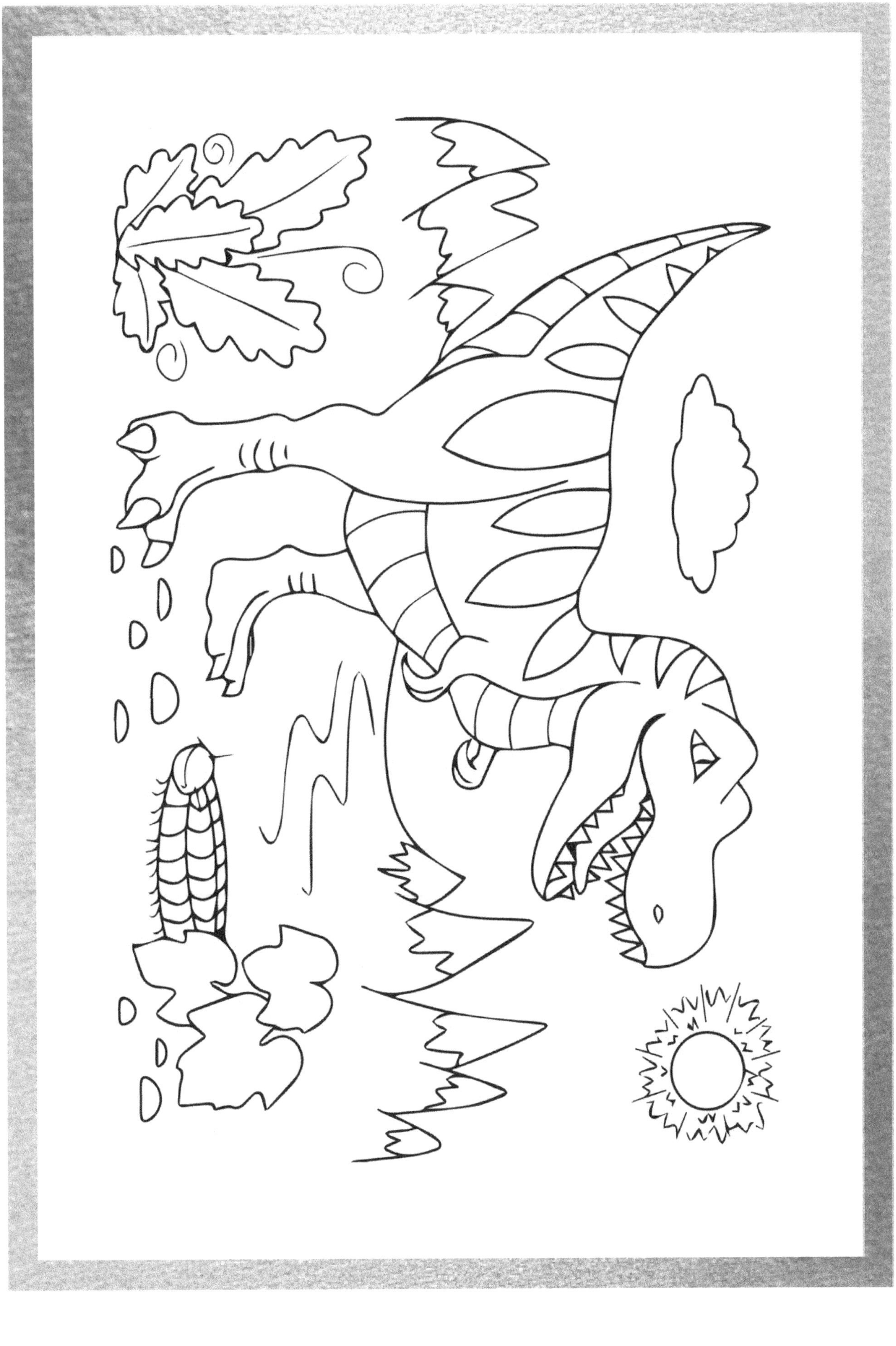

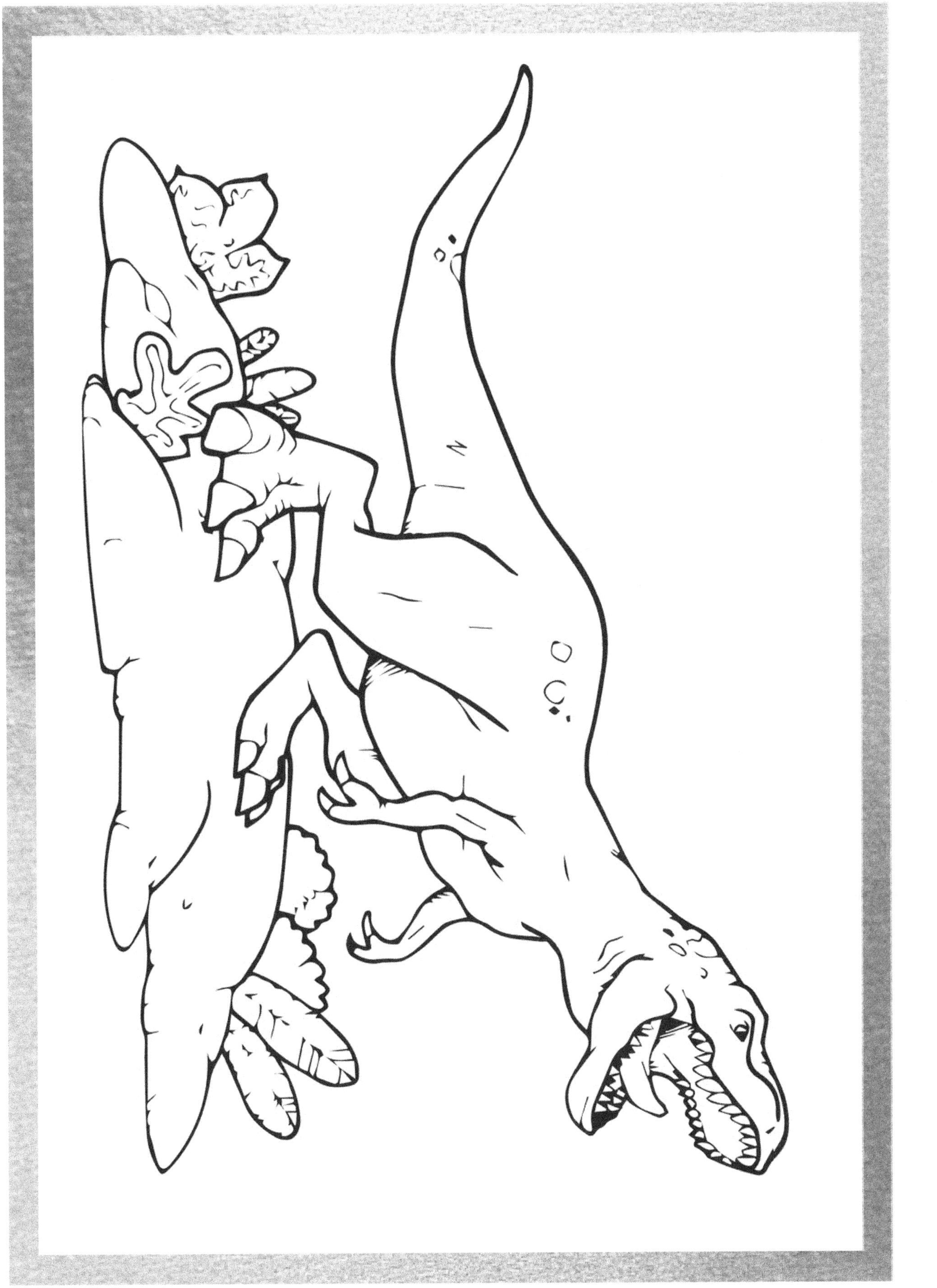

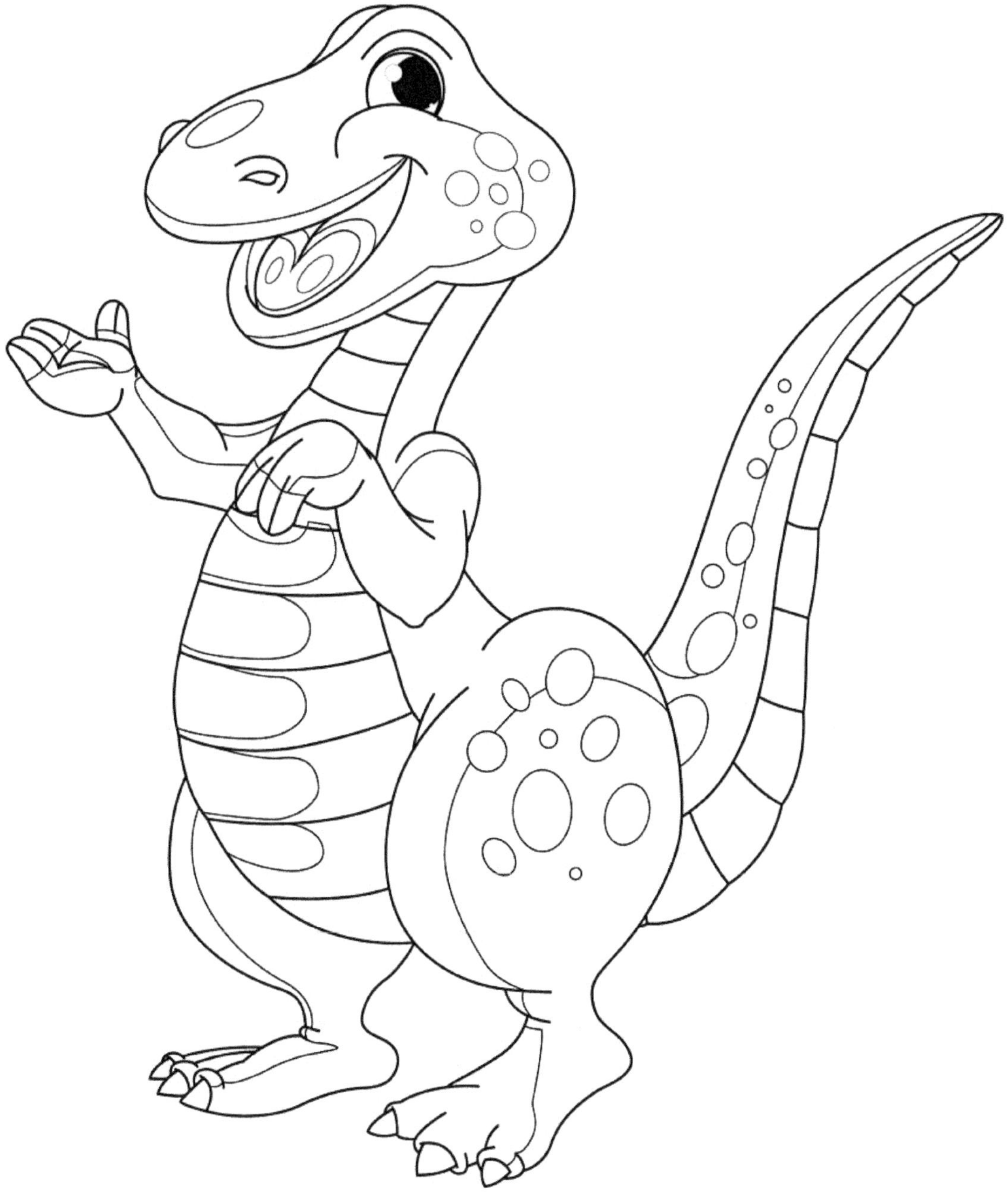

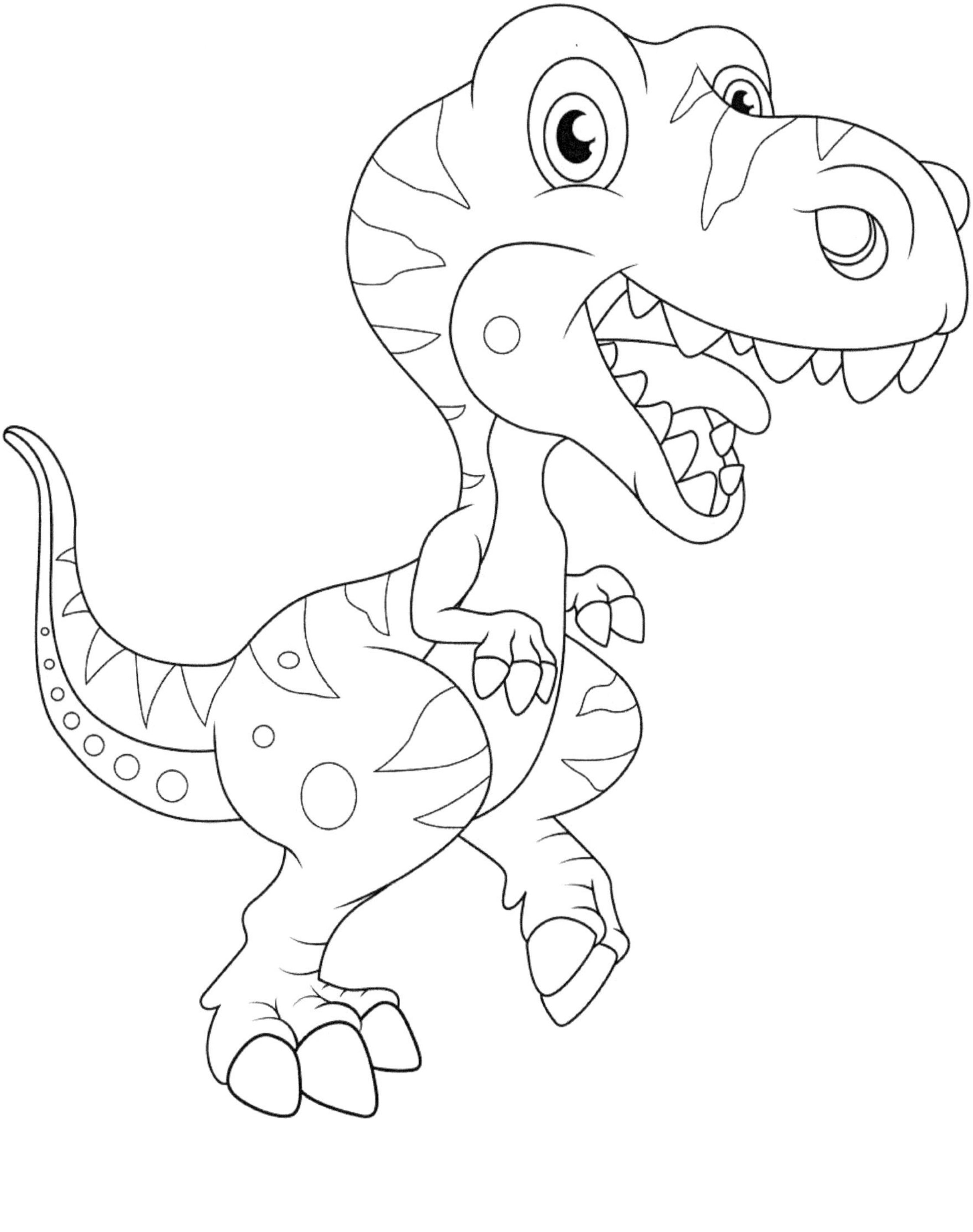

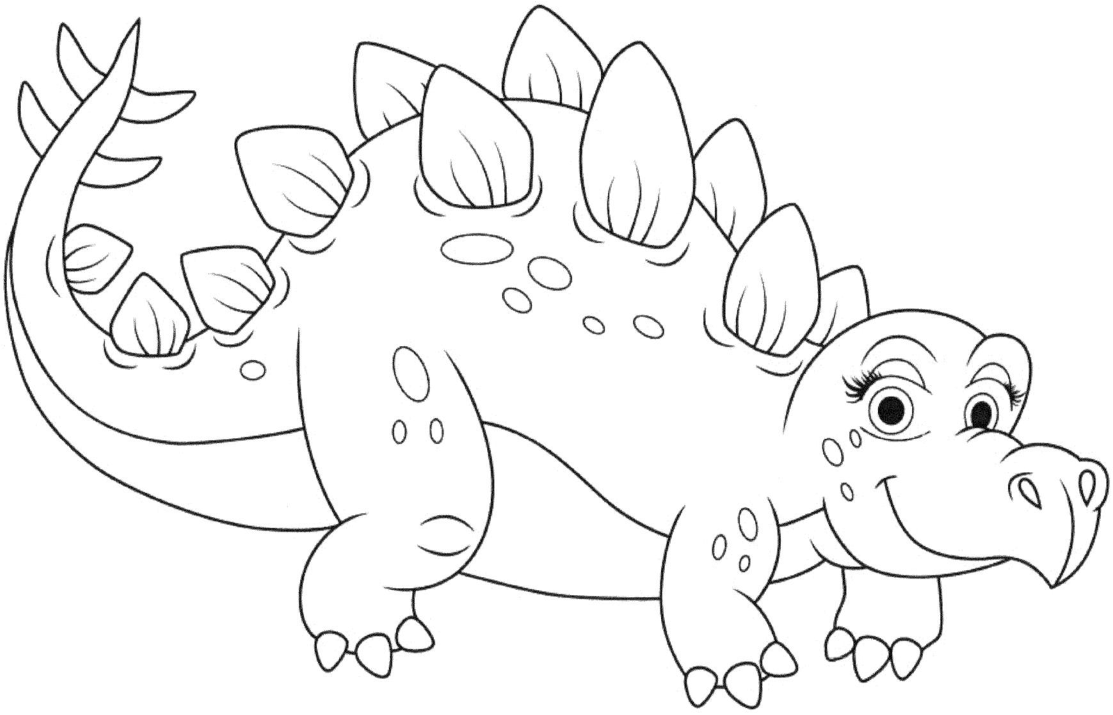

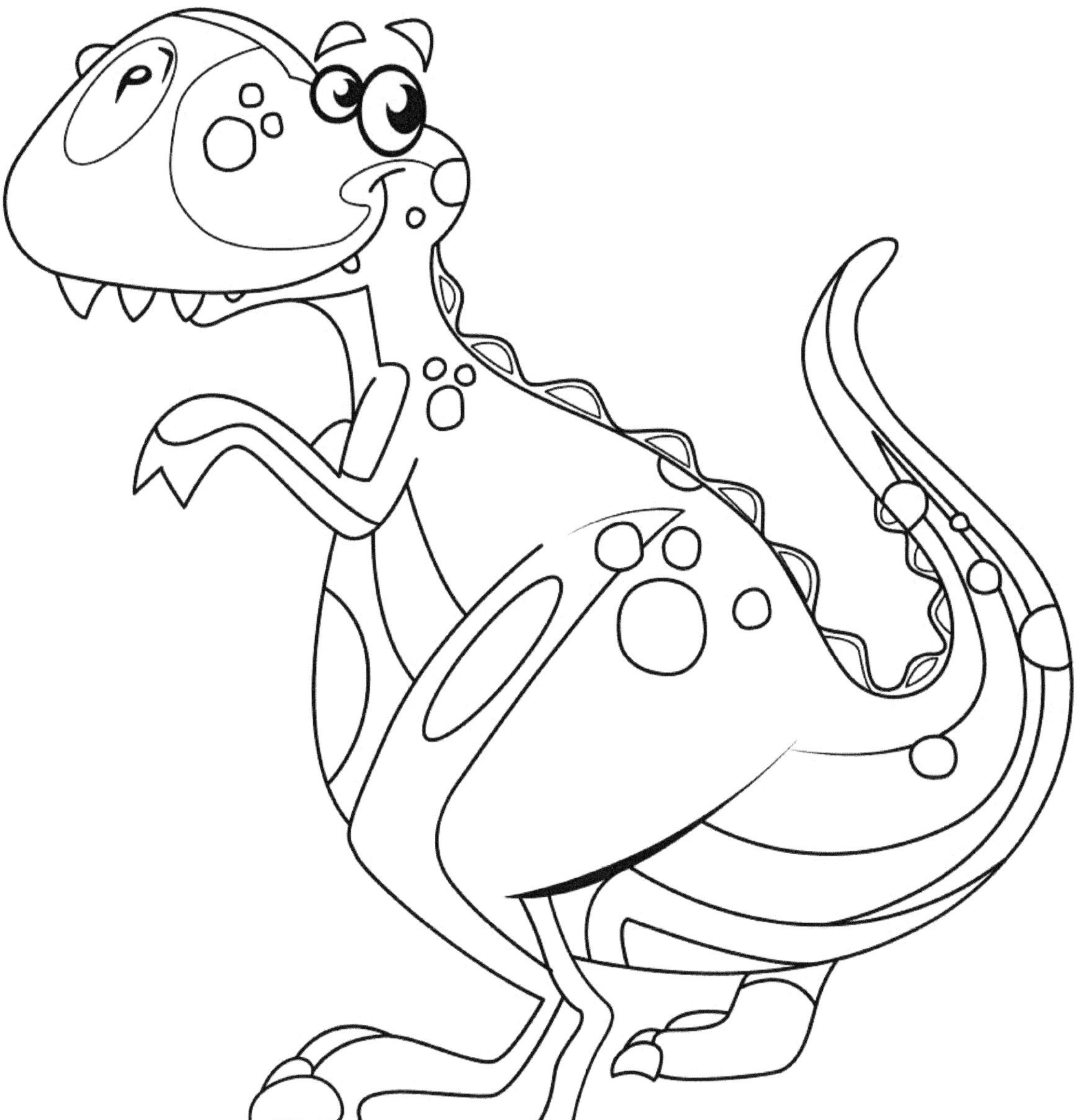

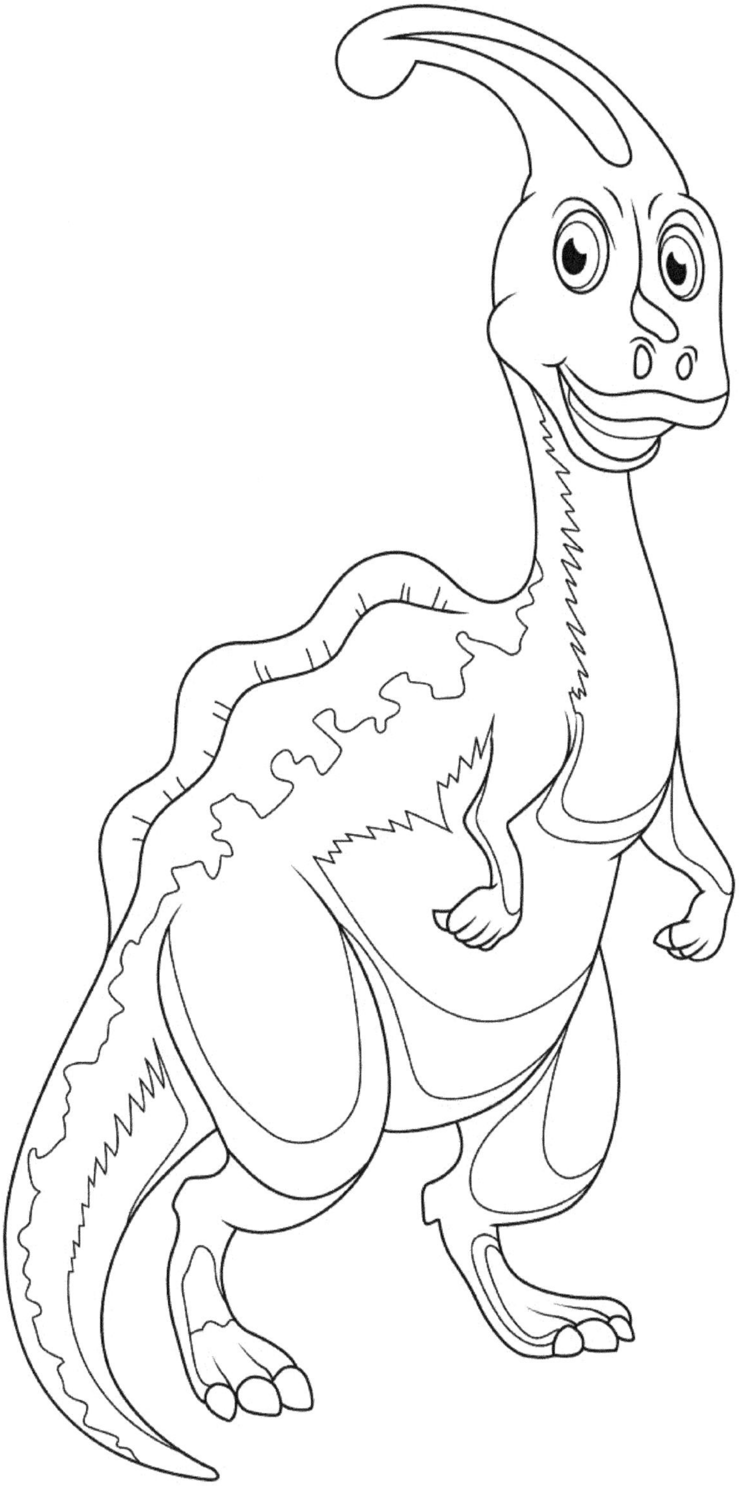

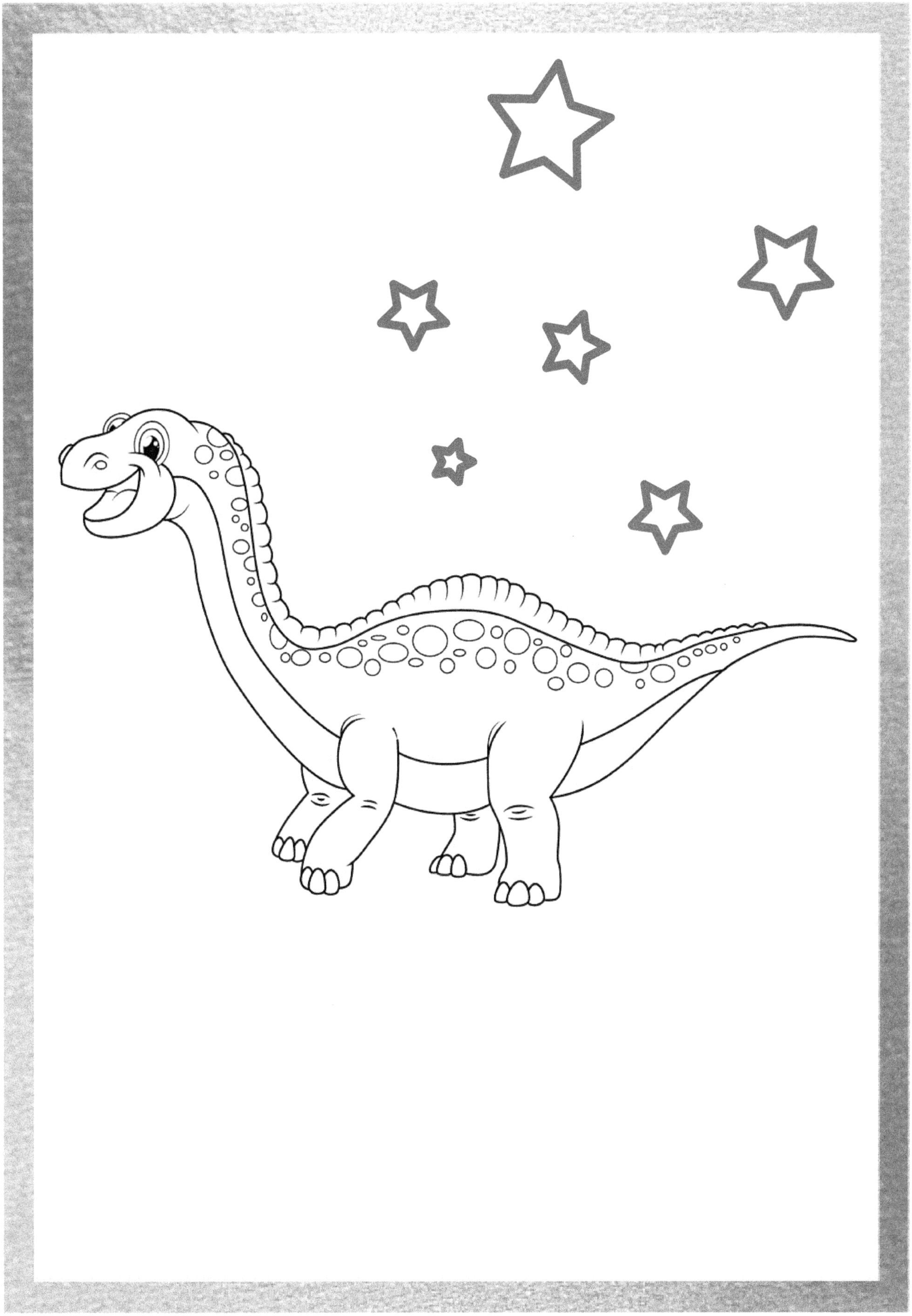

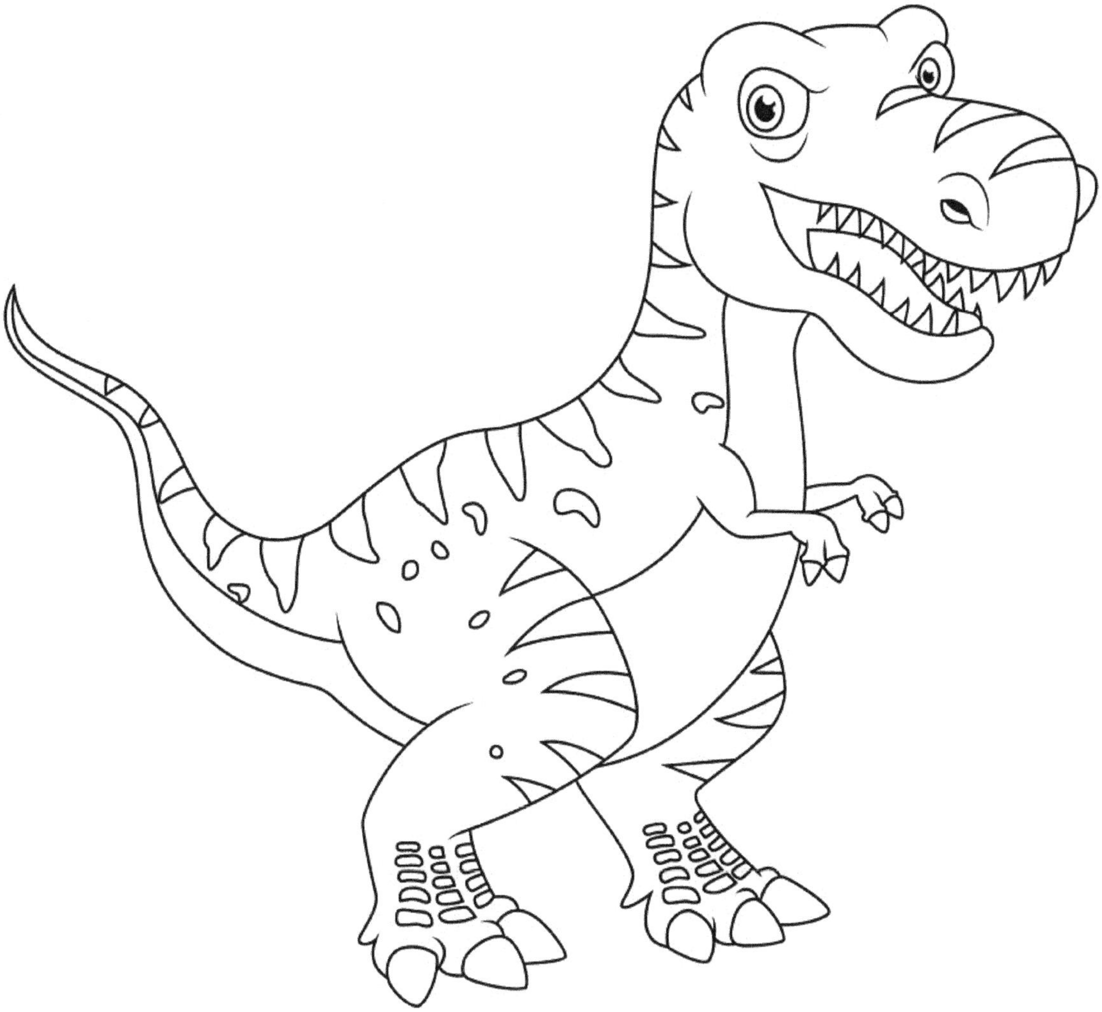

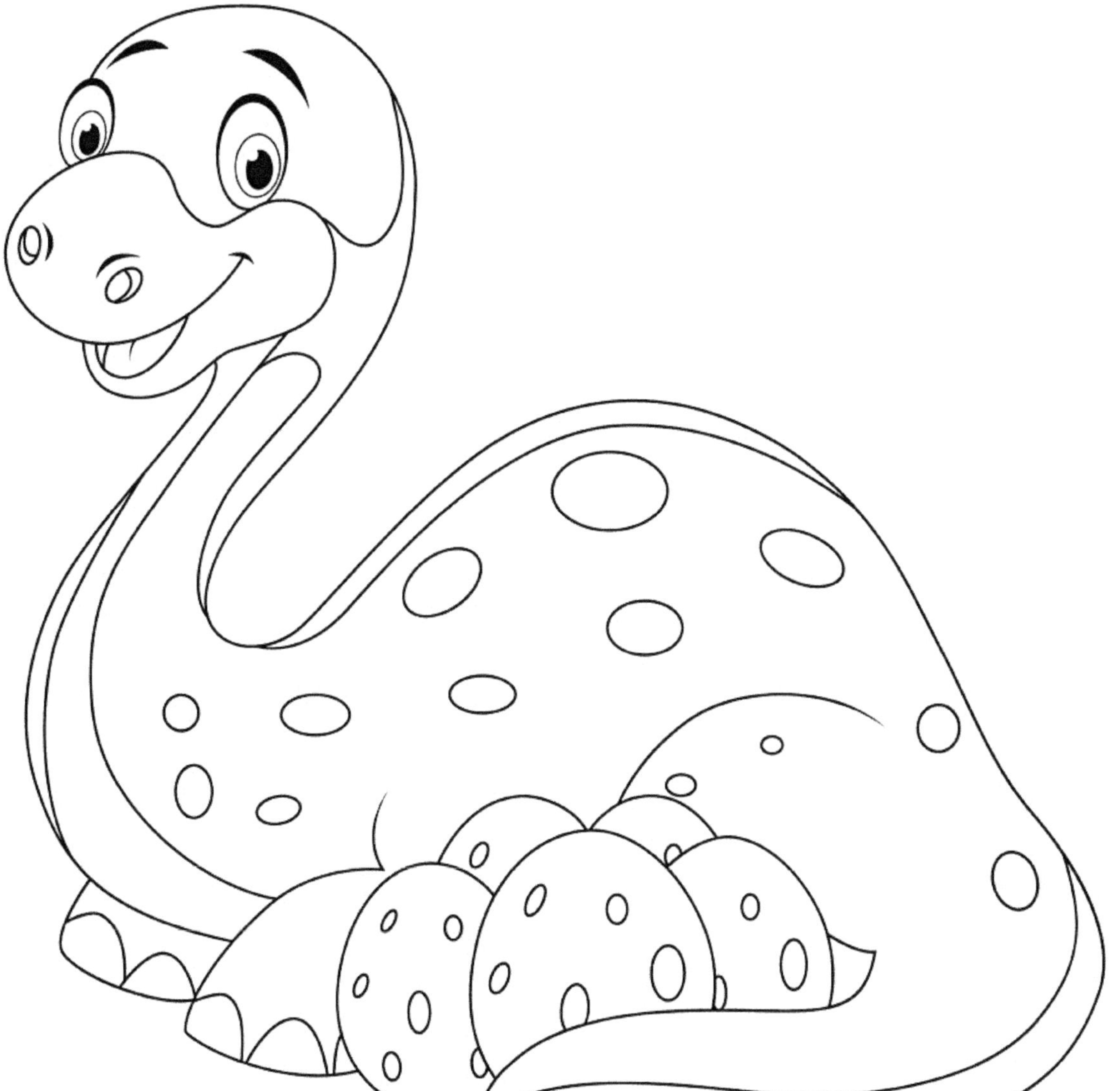

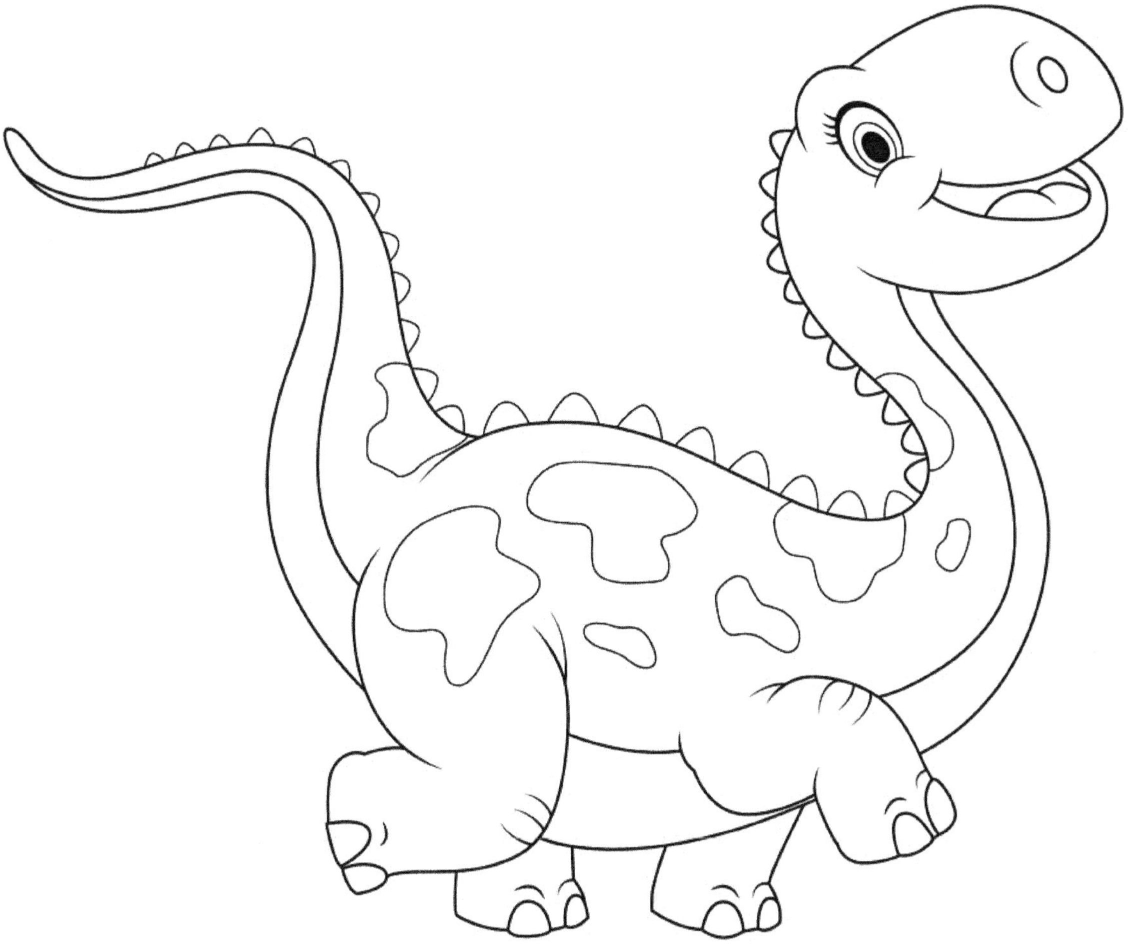

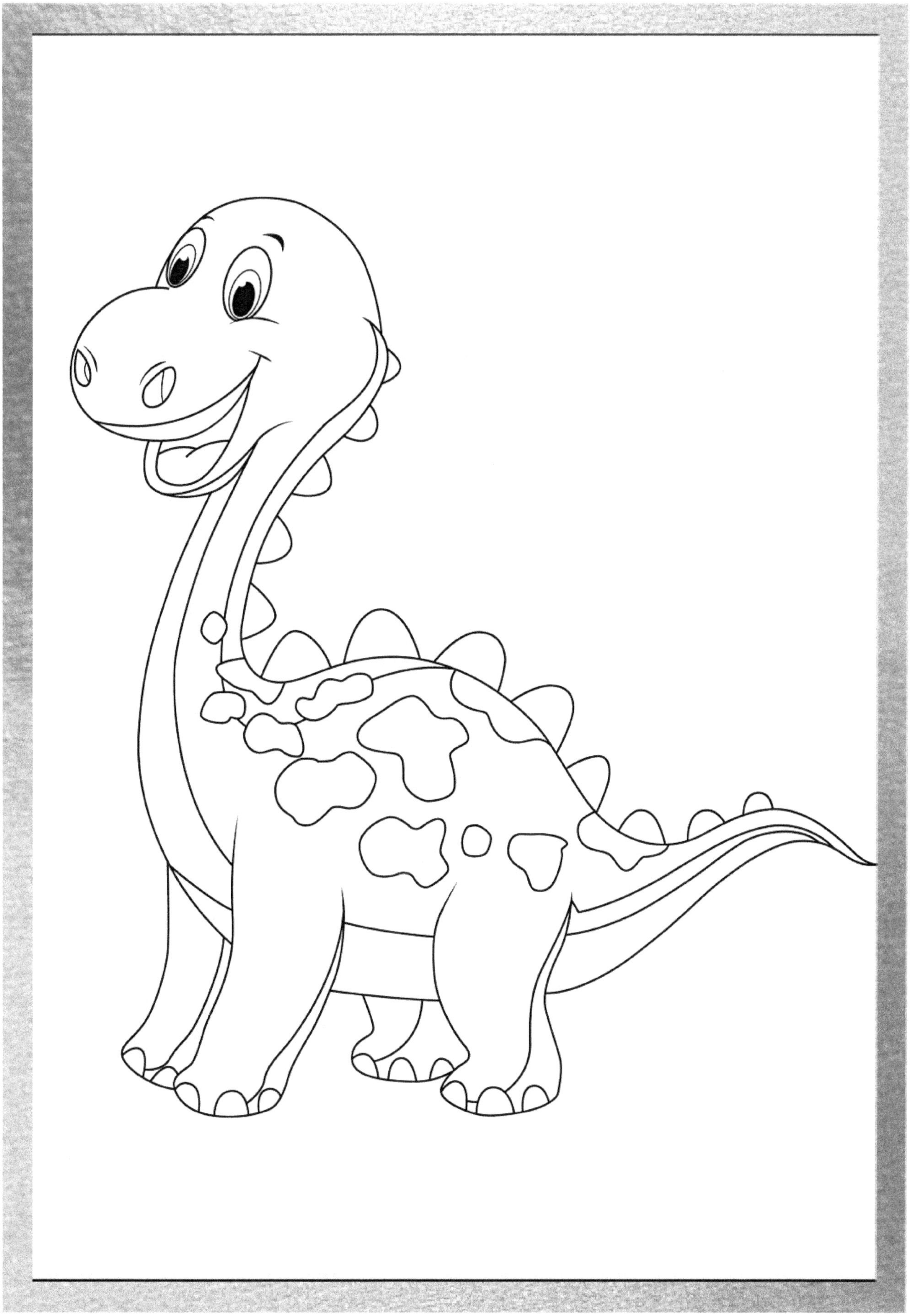

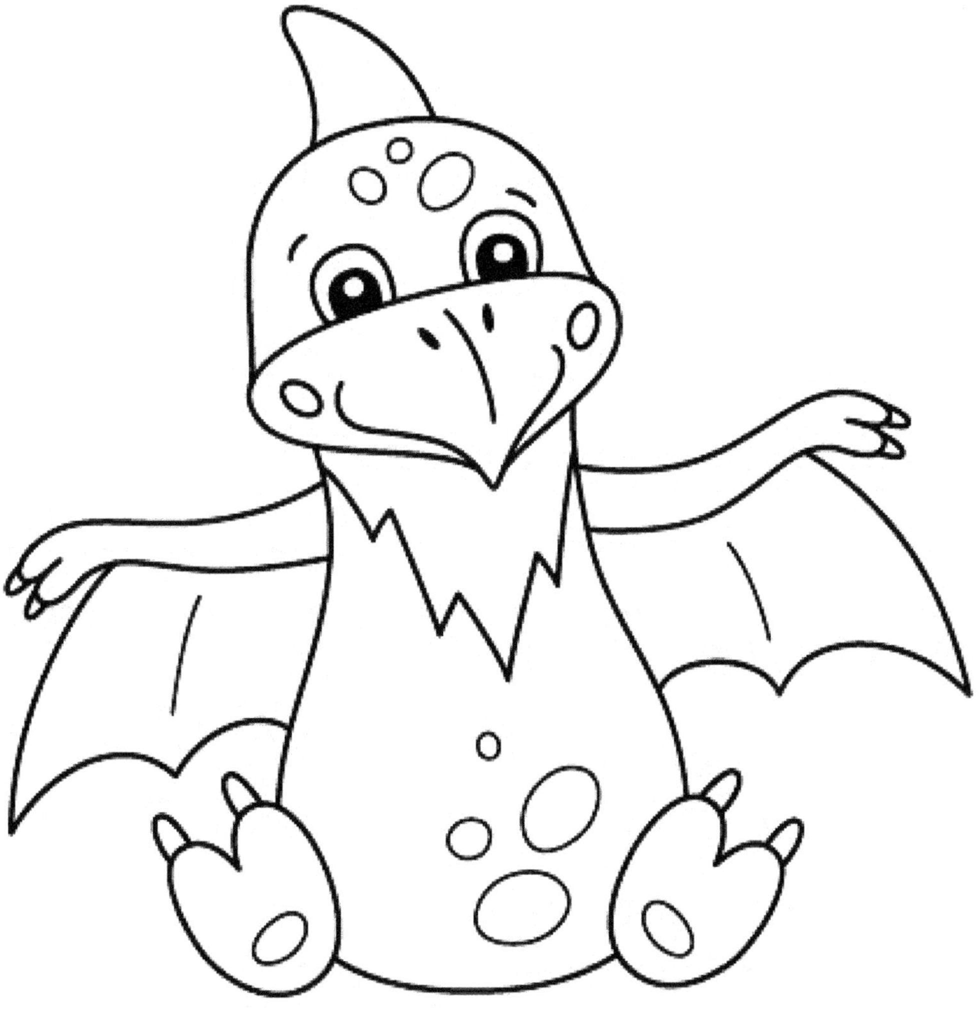

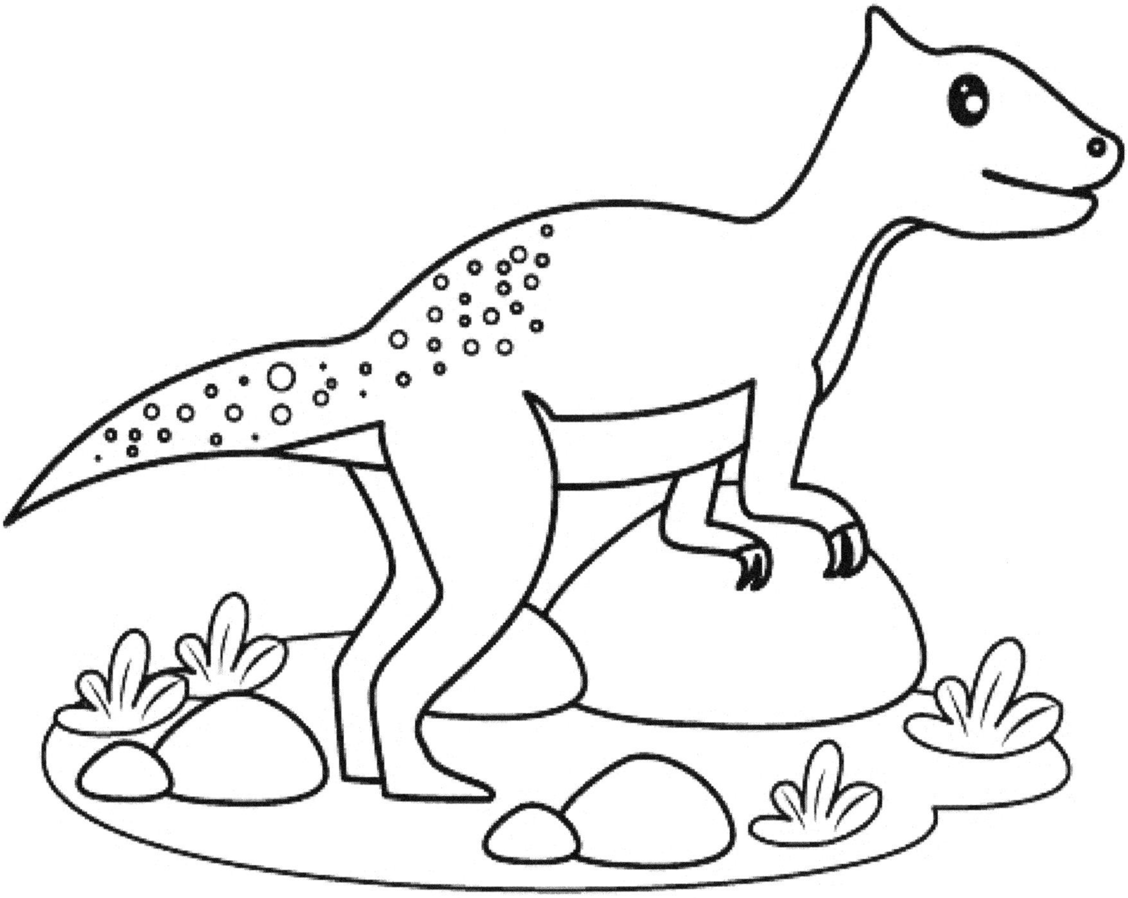

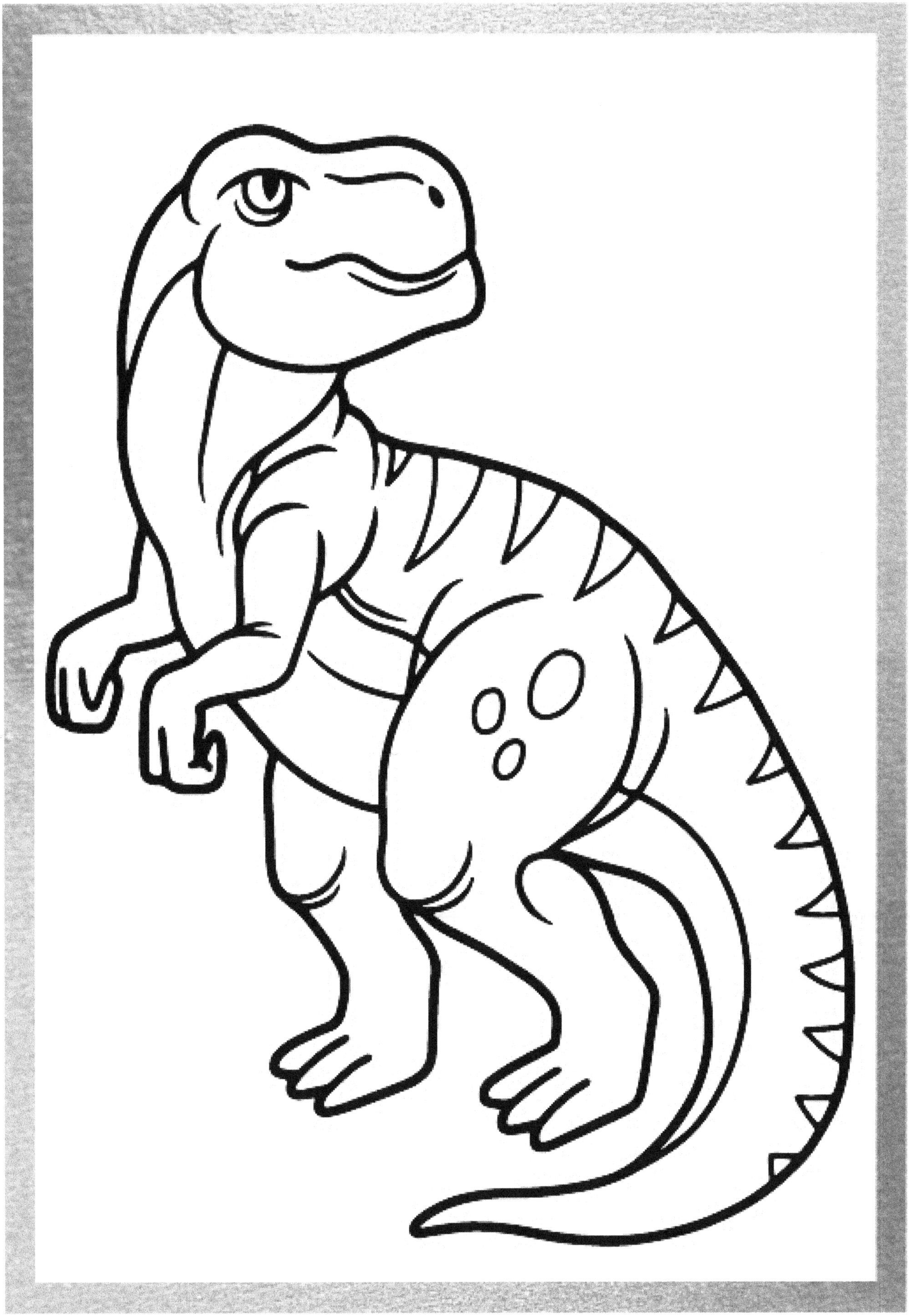

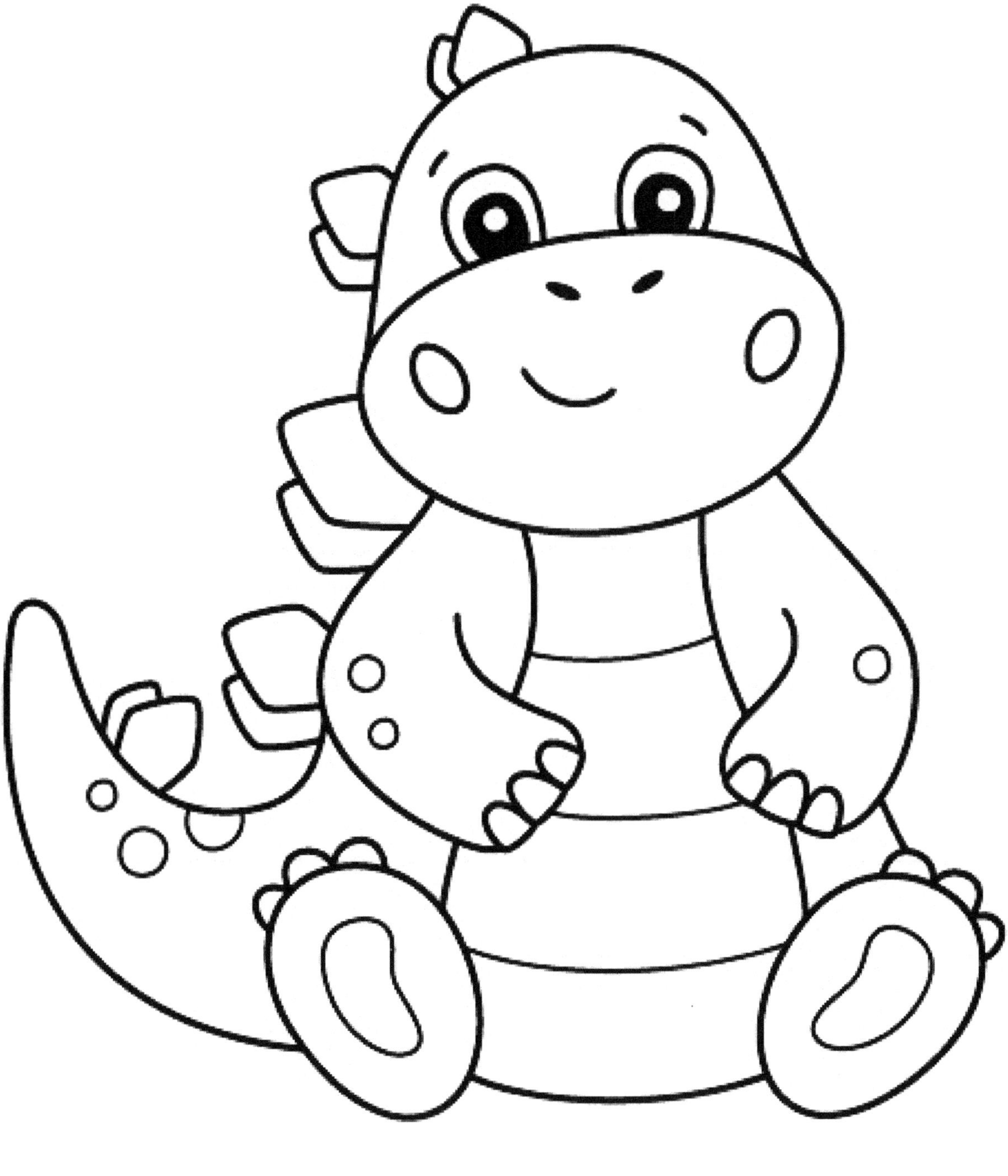

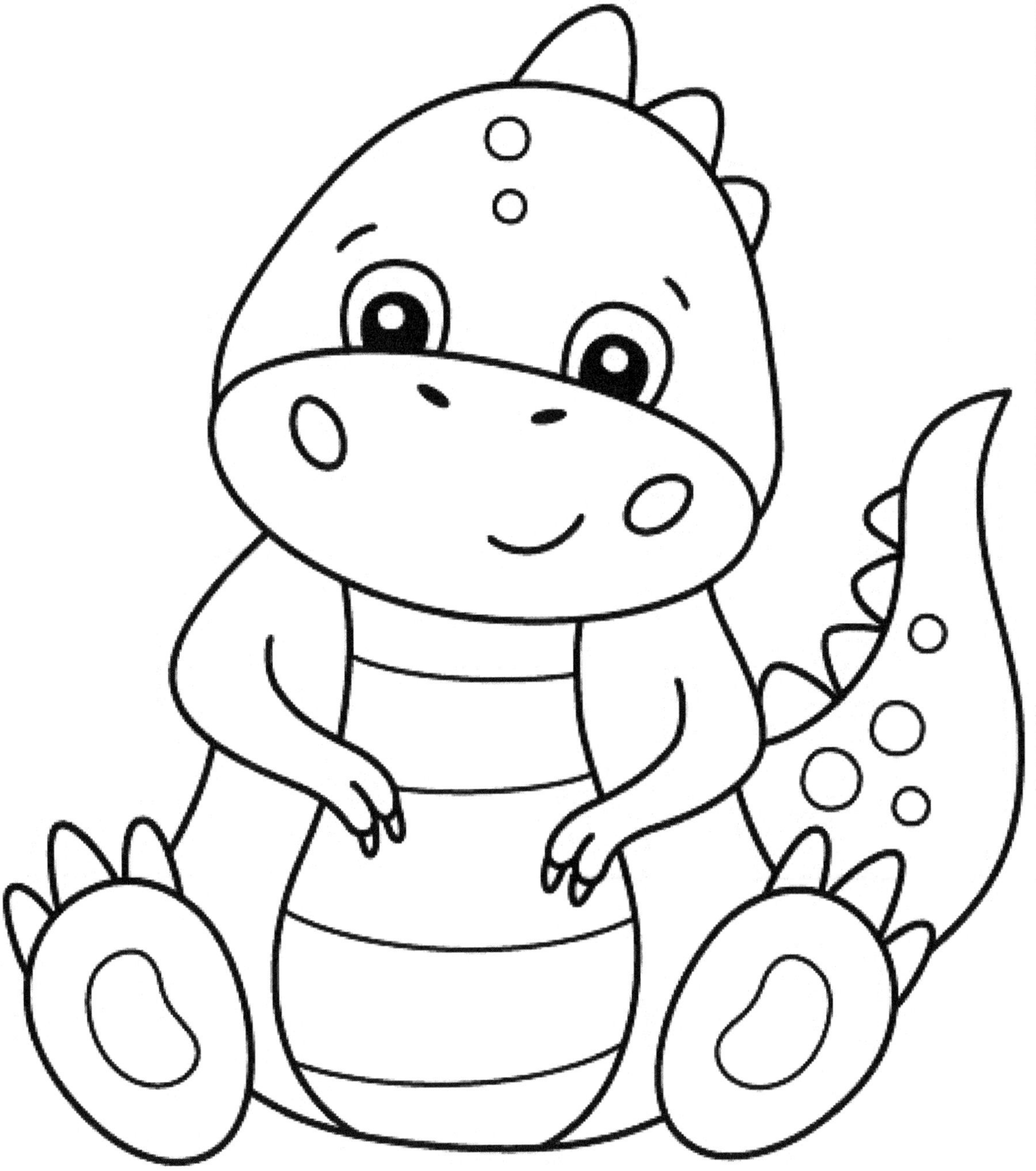

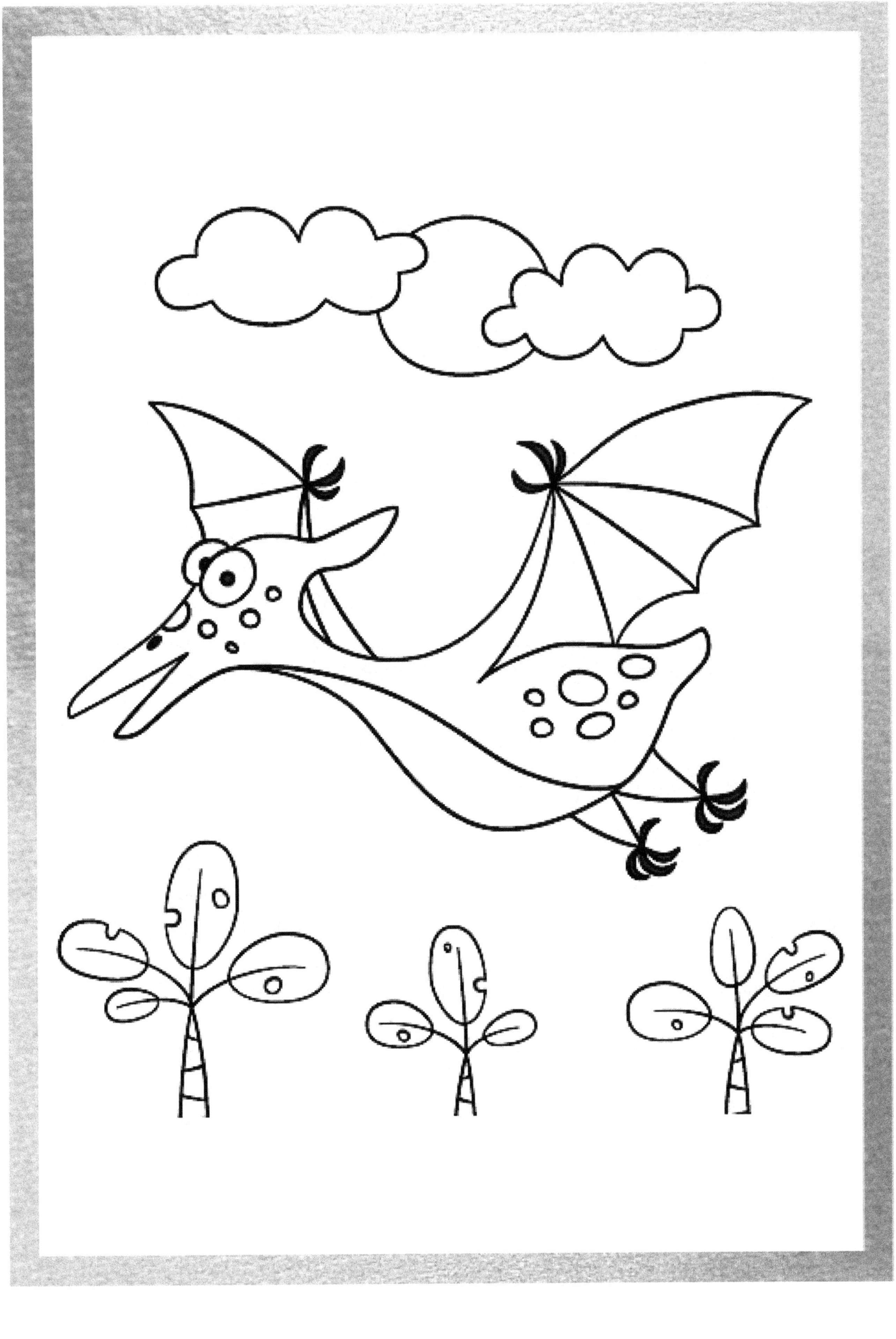

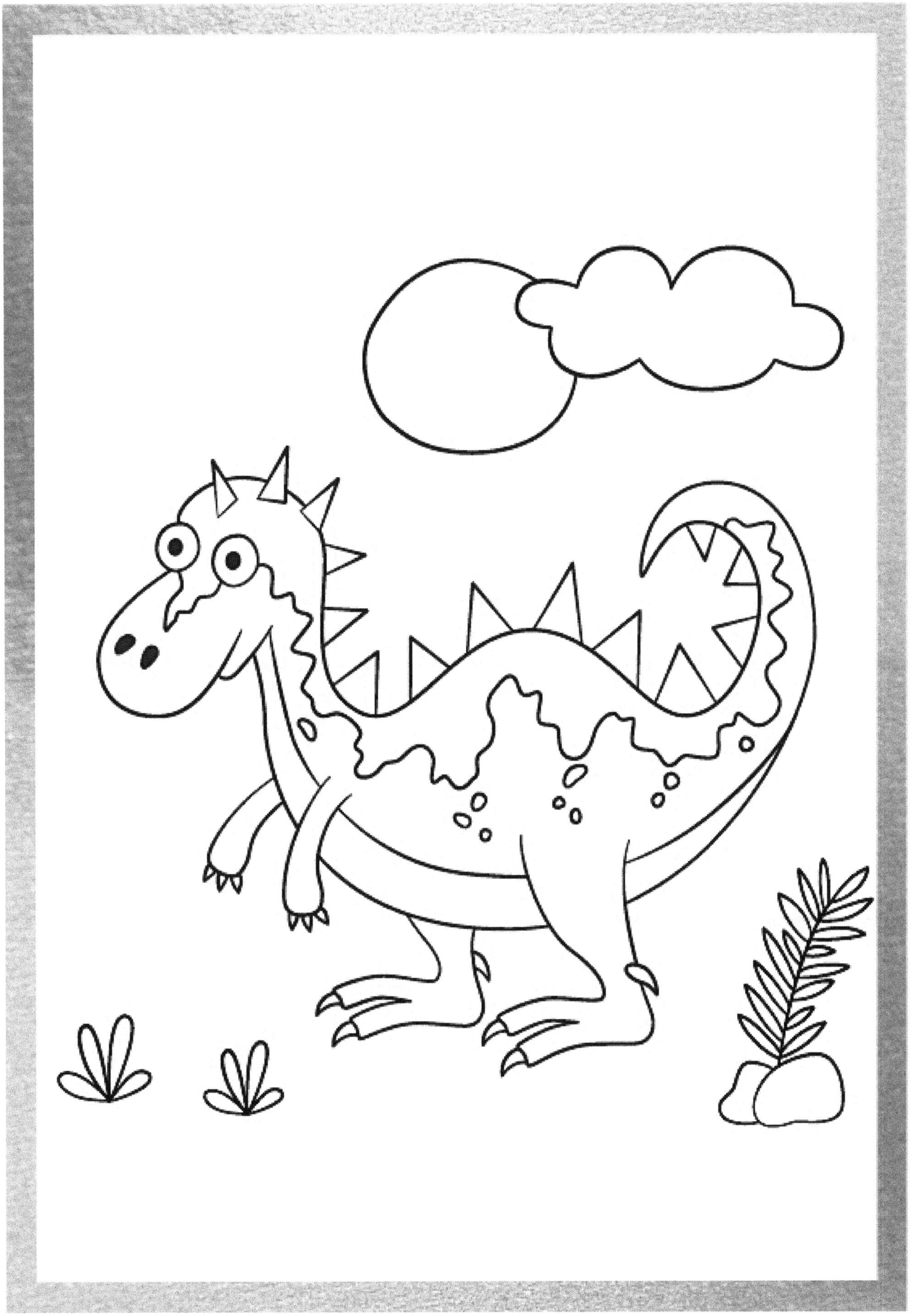

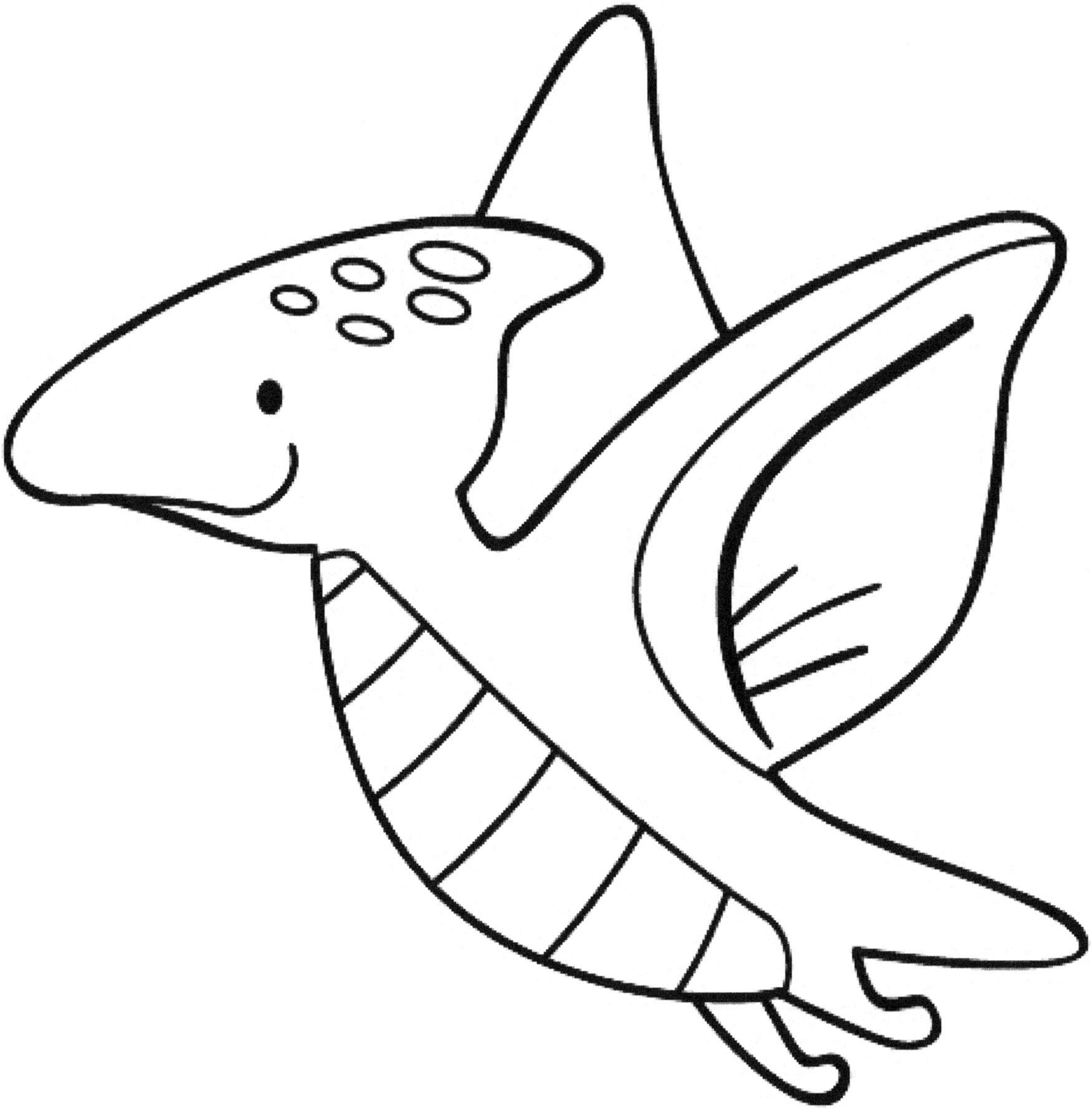

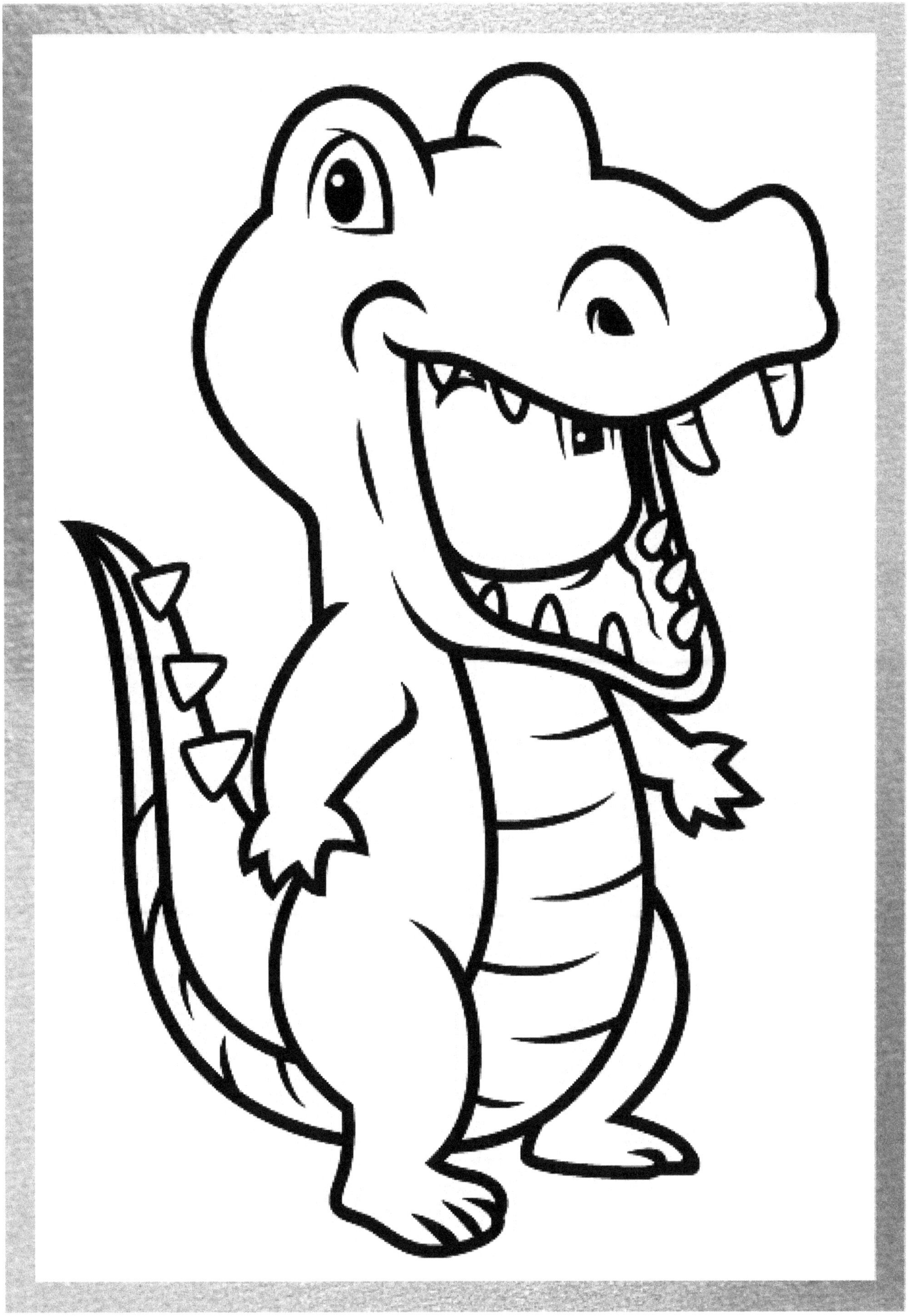

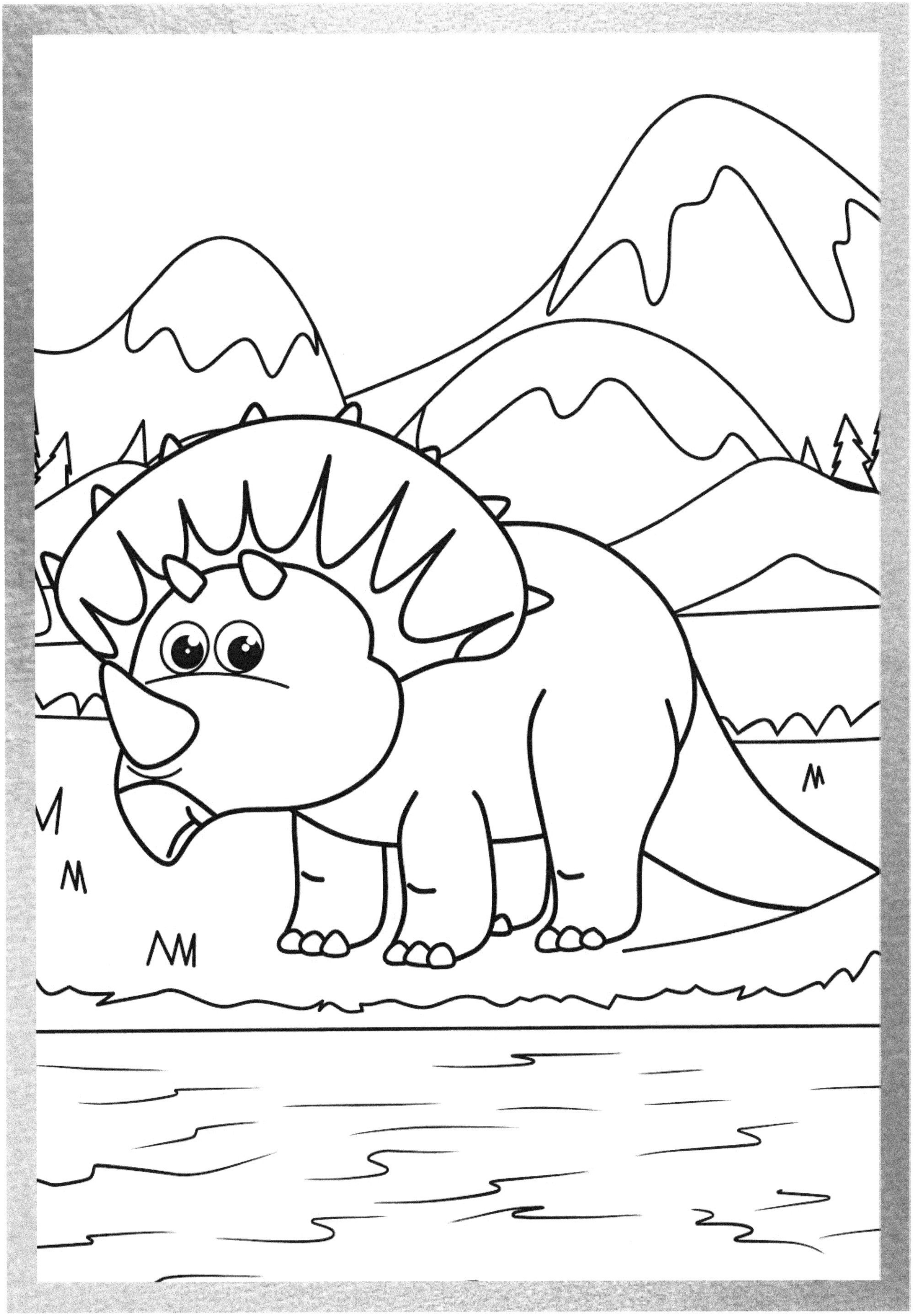

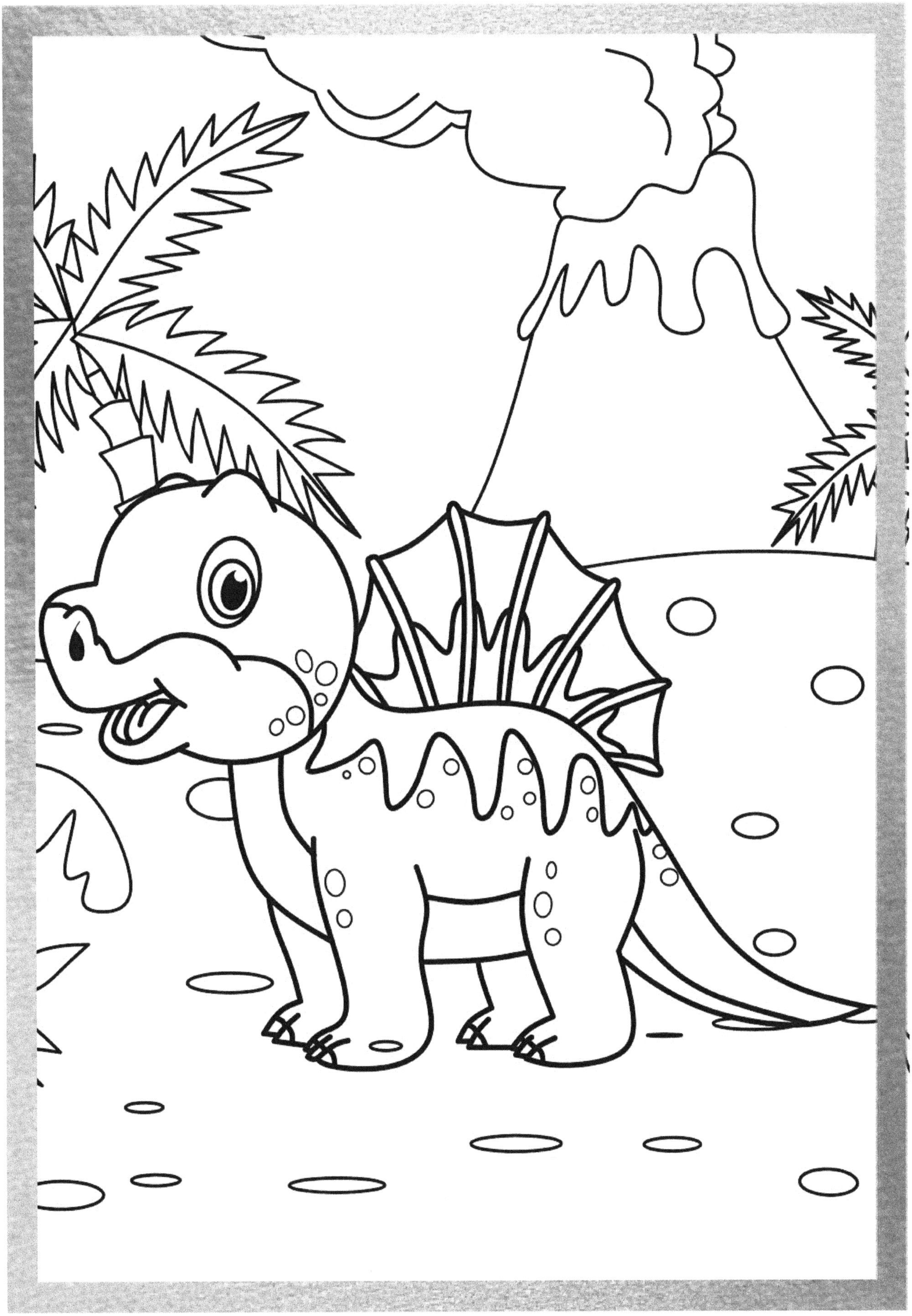

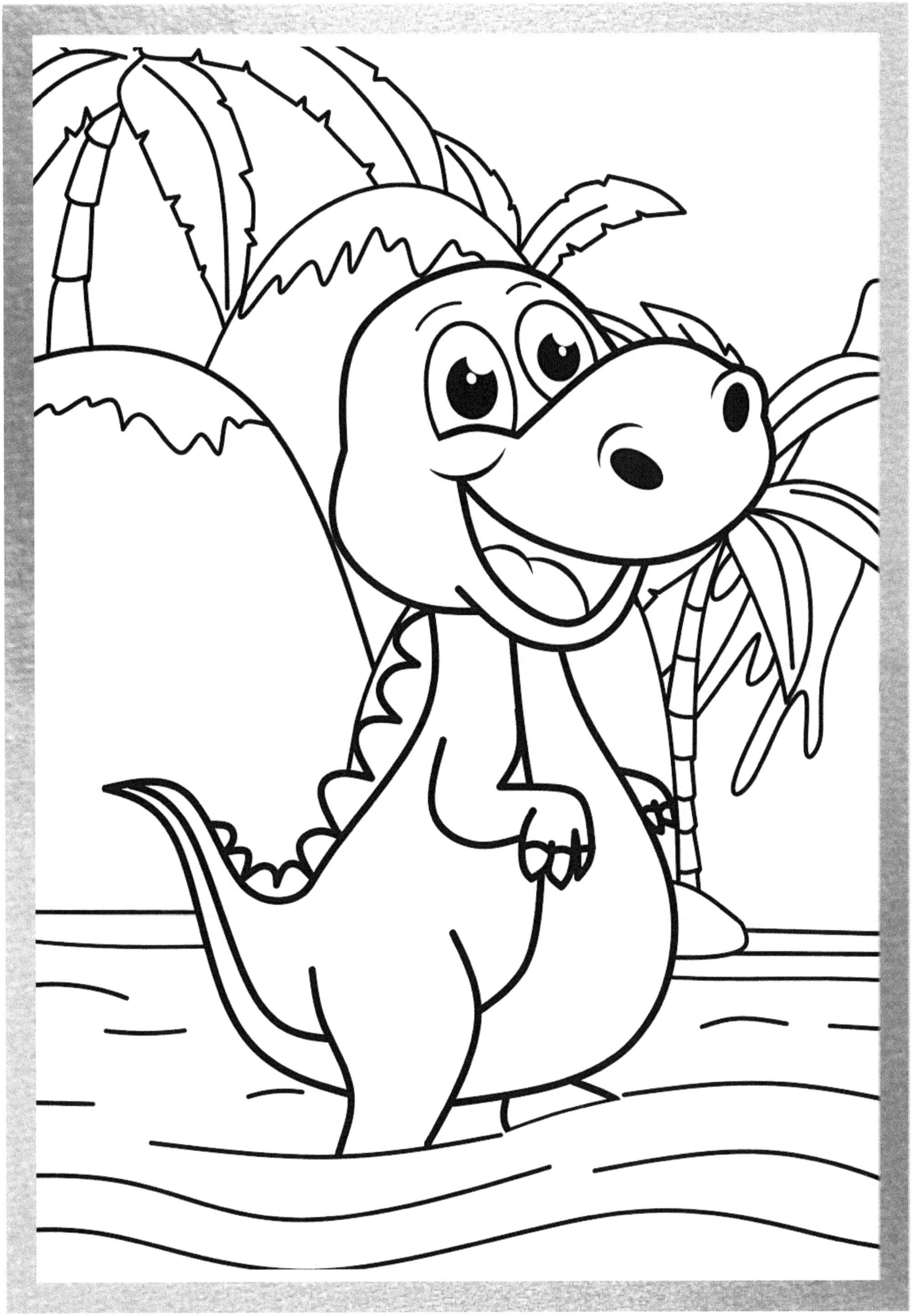

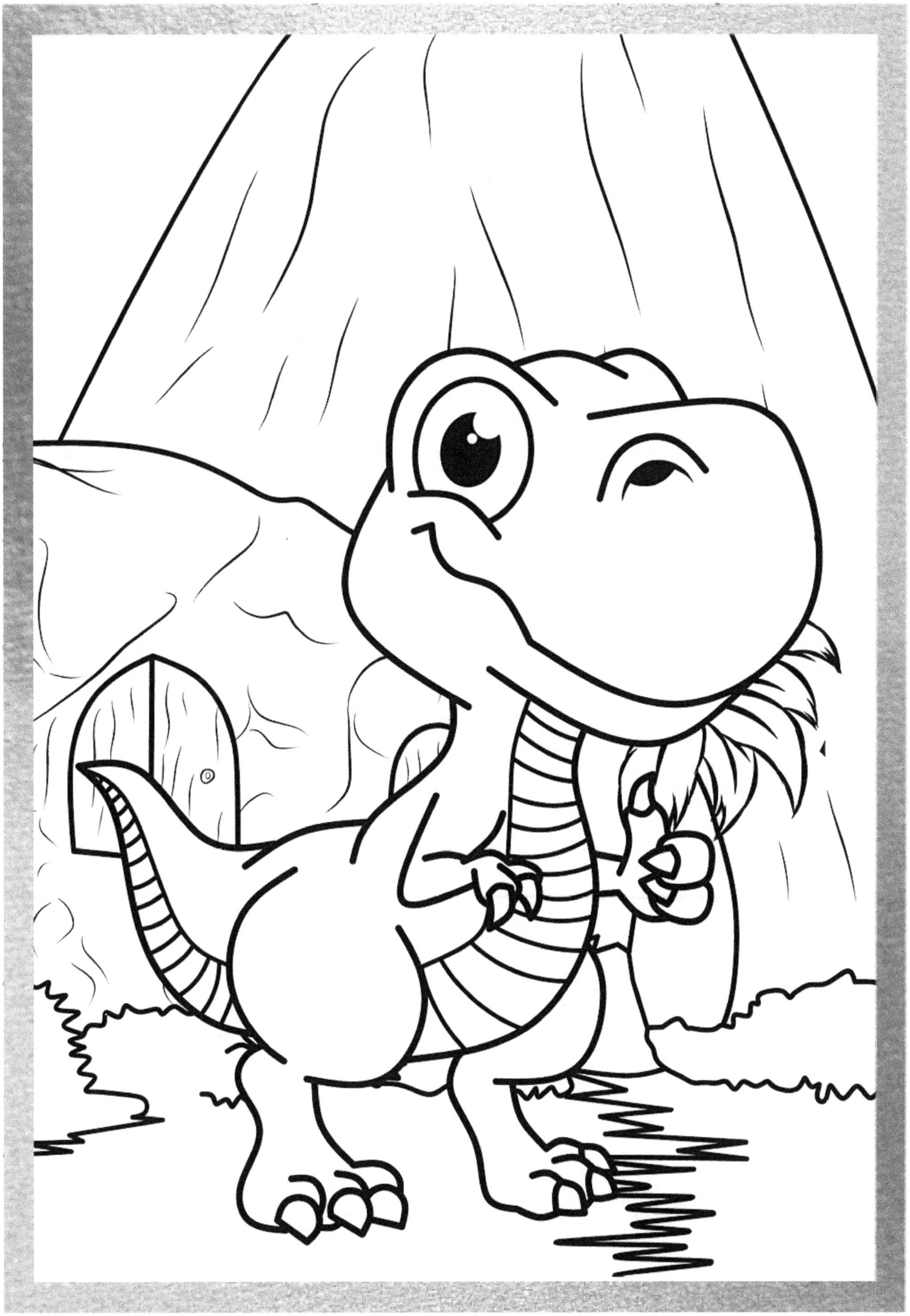

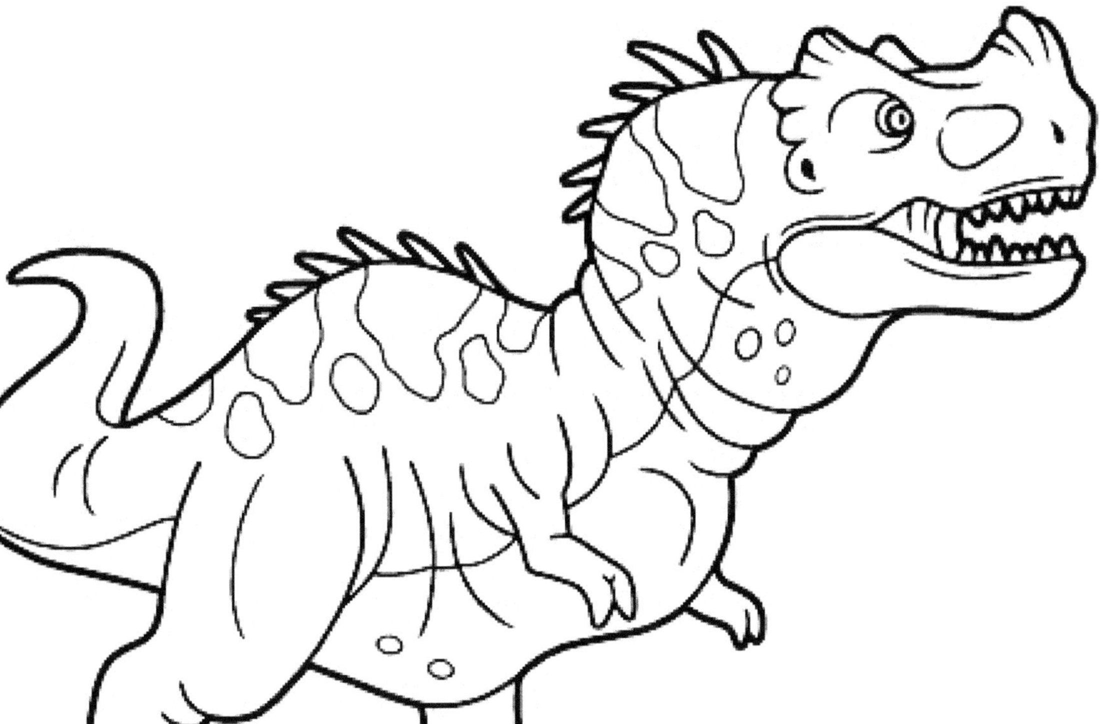

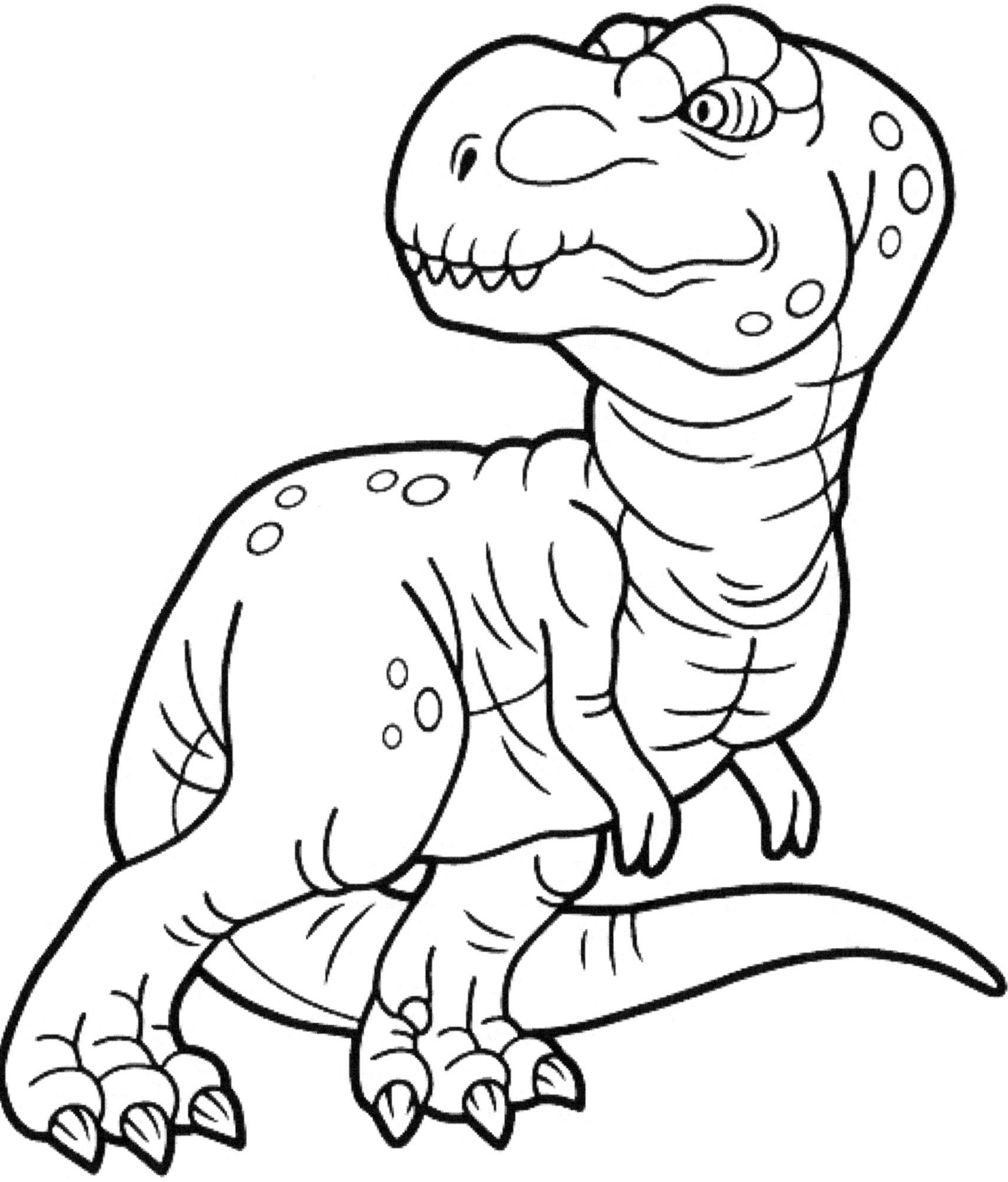

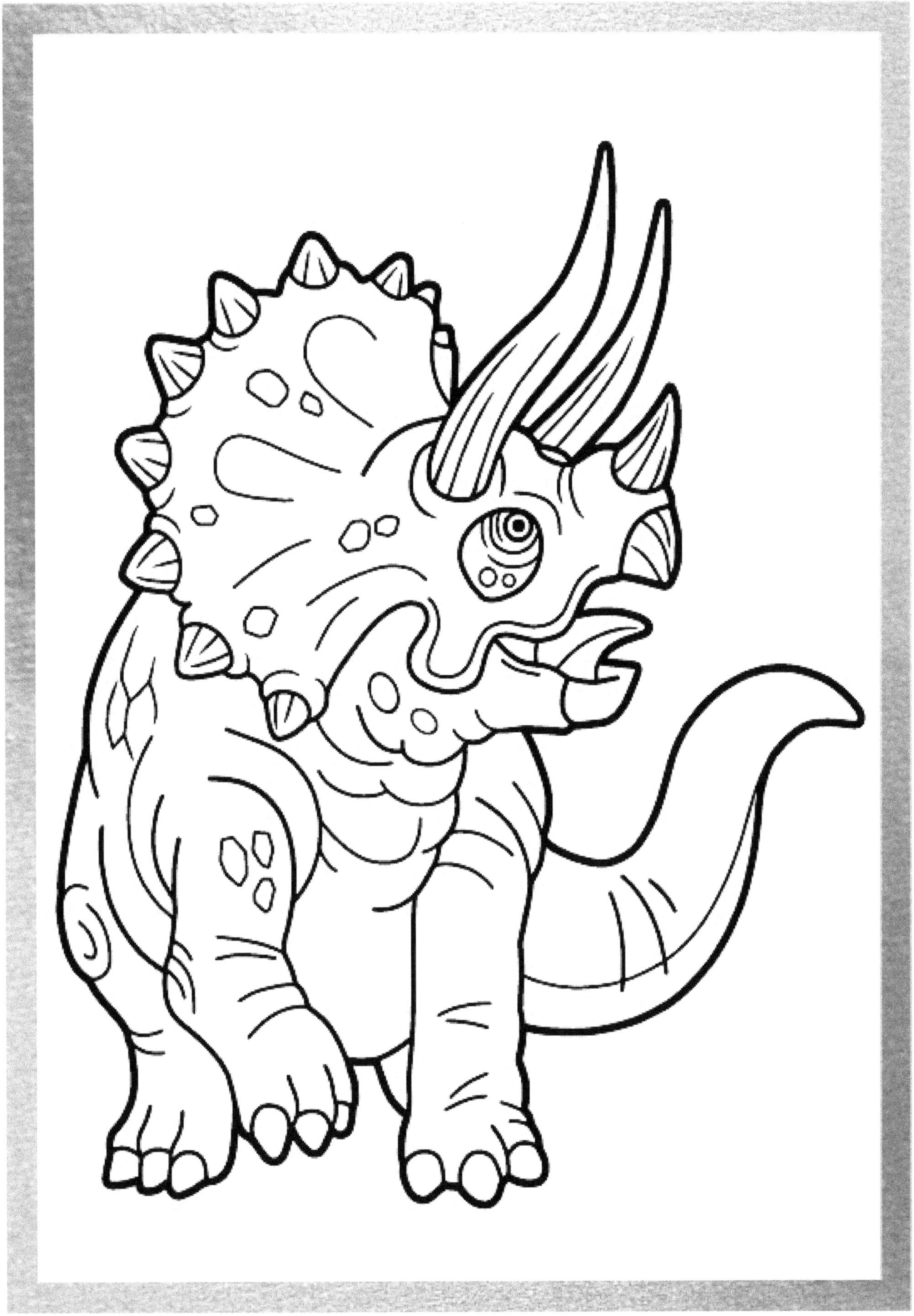

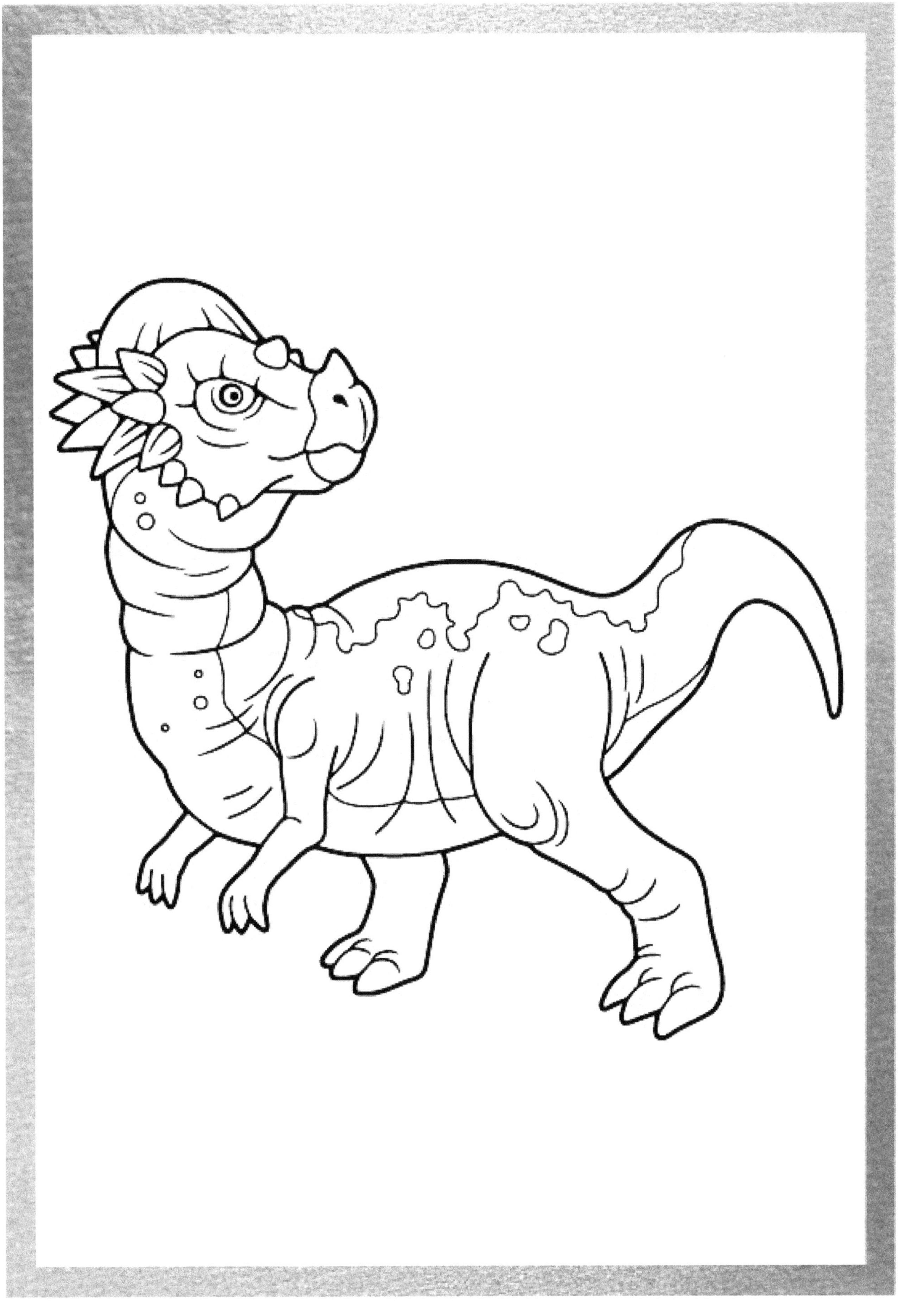

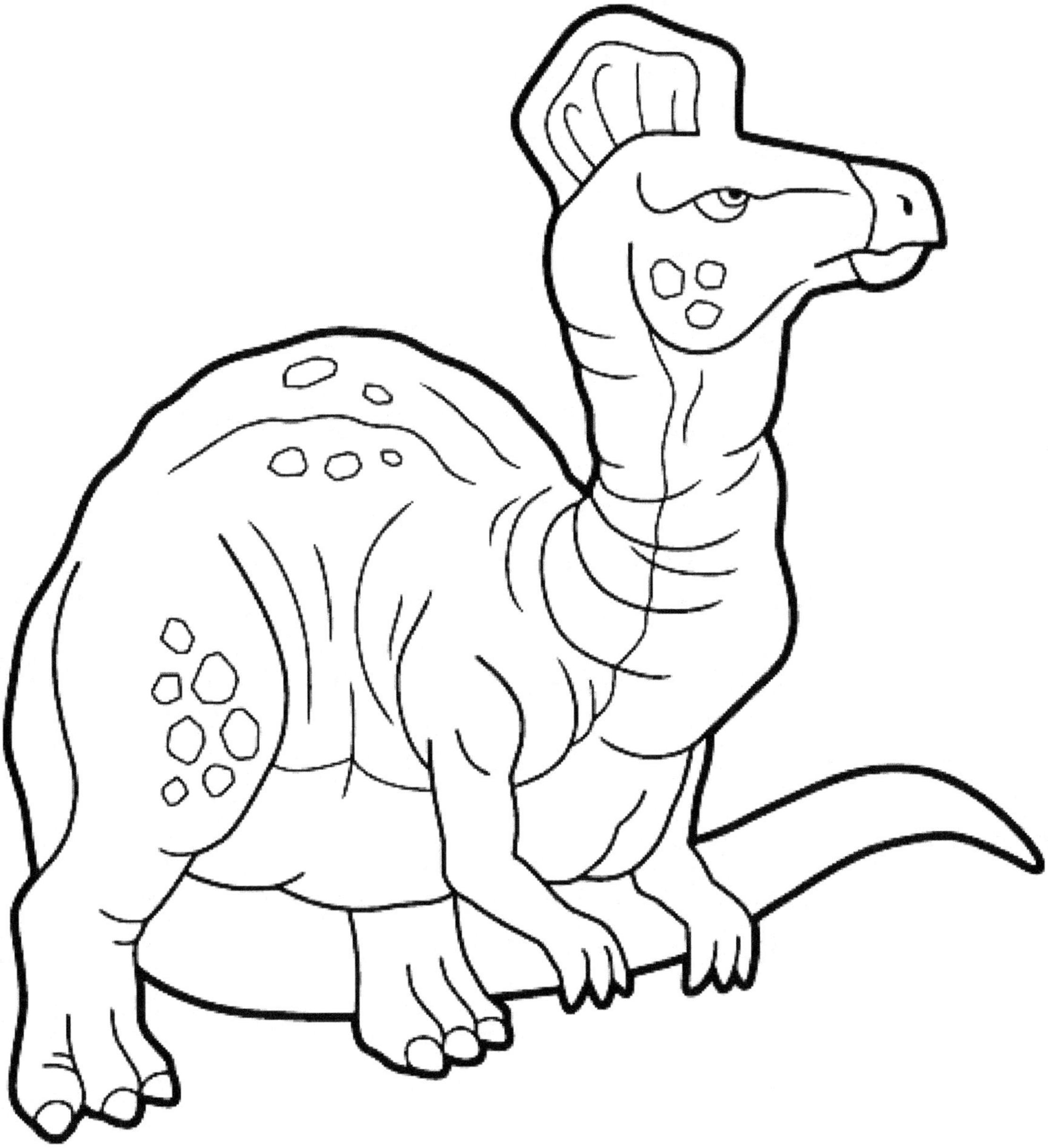

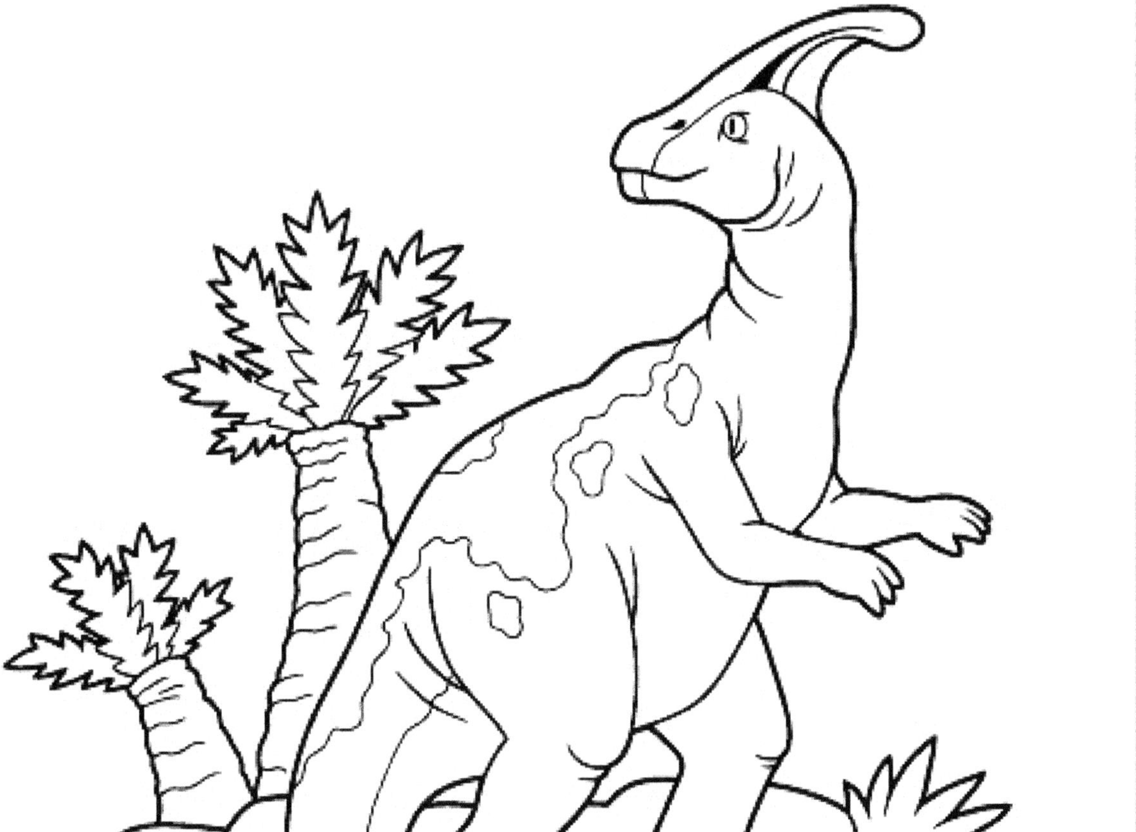

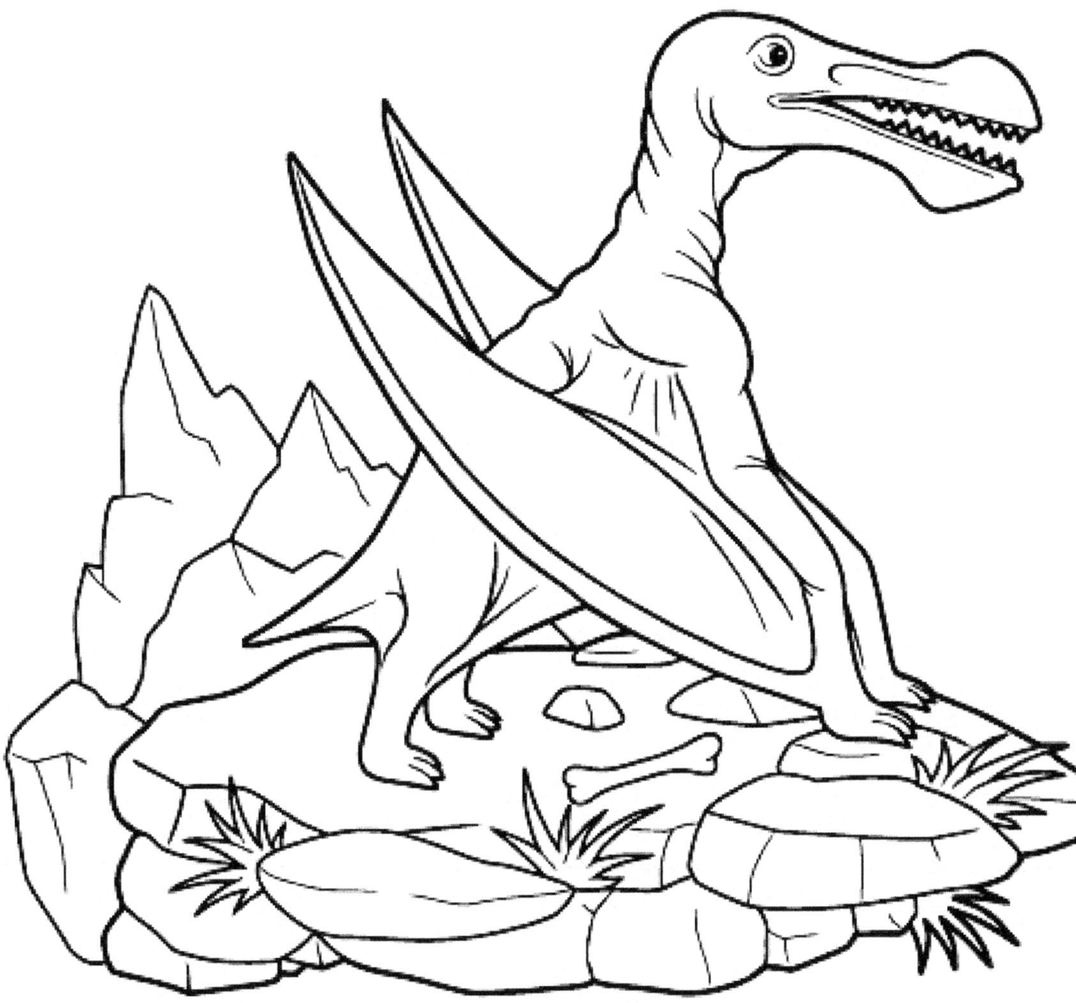

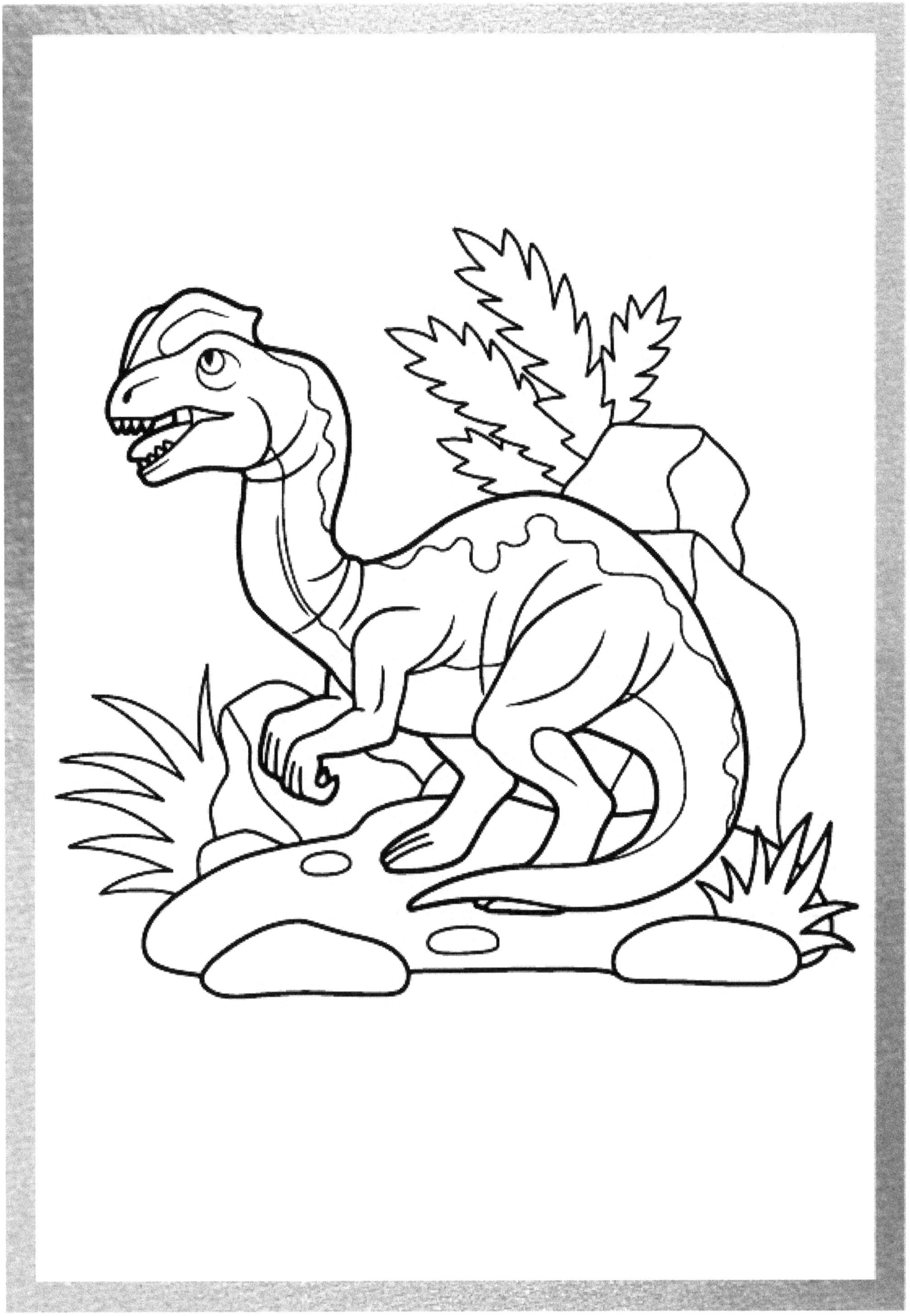

Lightning Source UK Ltd.
Milton Keynes UK
UKHW050927210521
384122UK00011B/605

9 786611 593902